Glas ydi'r nefoedd

Sonia Edwards

Gwasg
Gwynedd

Argraffiad Cyntaf — Tachwedd 1993
Argraffiad Print Bras — Mawrth 1995

© Sonia Edwards 1993

ISBN 0 86074 105 2

Dymuna'r cyhoeddwyr gydnabod cymorth Adrannau'r Cyngor Llyfrau Cymraeg.

Argraffwyd gan Wasg Gwynedd, Caernarfon.

I GWYNDAF
AM EI GEFNOGAETH

Cynnwys

Gwnïo botymau

Elwyn

Roedd y cyfan mor ddiniwed ar y cychwyn. Rhyw gadw reiat gwirion amser paned neu drafod disgybl neu lyfr neu gynllun marcio dros frechdanau amser cinio. Sgwrs felly fydd yna mewn stafell athrawon. Hen stafell athrawon digon di-liw oedd hon hefyd — mwg sigarét, y siarad siop tragwyddol, y merched yn gliciau bach straegar a'r dynion yn siarad ceir. Di-liw, di-ddim. Tan i Glesni ddod aton ni.

'Ydw i'n dy nabod di o rywle?' Hen gwestiwn gwirion, plentynnaidd. Mi wyddwn yn iawn fy mod i wedi'i gweld hi o'r blaen ar wahanol gyrsiau ac ati.

''Dwi'n amau dim nad ydan ni wedi cyfarfod rhyw dro. Rhyw gwrs neu'i gilydd, ma' siŵr!'

9

Gwenodd arna' i. Roedd ganddi lygaid direidus.

'Ti'n meddwl y byddi di'n hapus yma?'

Ystrydeb o gwestiwn eto. Teimlais yn ddwl ac yn anniddorol, heb wybod yn iawn pam.

'Siŵr o fod. Fydda' i fawr o dro'n ffeindio'n ffordd o gwmpas. Mi a' i i swnian ar Rhian os a' i ar goll!'

Taflodd gipolwg ar Rhian Morgan, yr athrawes Ffrangeg. A gwenodd arna' i wedyn. Roedd hi'n gwenu lot.

'O, ti'n nabod Rhian, felly?'

'Mi oeddan ni'n fêts yn y coleg,' meddai Glesni, 'ond mae 'na dipyn o amser ers pan welson ni'n gilydd dd'waetha.'

Yn y coleg hefo Rhian. Mi wnes fy syms yn sydyn. Os oedd hi'r un oed â Rhian Morgan doedd yna ddim ond rhyw ddwy neu dair blynedd rhyngon ni. Iesu, mi oedd hi'n edrych yn ifanc. Erbyn meddwl, doedd hi ddim yn edrych rhyw lawer fel athrawes. Roedd corff fel cath ganddi, a gwallt fel mahogani. Roedd popeth o'i chwmpas yn ystwyth ac yn felfedaidd. Hongiai rhyw ffigiarins lliwgar o'i chlustiau hi hefyd. Roedd y cwbl yn rhoi'r argraff o ieuenctid, ffresni, hyder. Canodd y gloch a diflannodd Glesni i ganol y sgwrsio a'r symud gan fy ngadael i'n syllu i gwpan goffi hanner-llawn. Edrychais allan i'r iard. Roedd y dwndwr mawr wedi distewi, a dim ond ambell straglar yn rhedeg â'i wynt yn ei ddwrn, bag Adidas yn cnocio'n erbyn ei benliniau. Gwagiais yr hylif llugoer yn ofalus, ofalus i lawr y sinc. Roeddwn i'n hwyr i fy ngwers.

★ ★ ★

Llusgodd y tymor yn ei flaen fel pob tymor arall, am wn i. Arhosodd mis Medi'n hirach nag arfer y flwyddyn honno, a'r coed yn gwrthod diosg eu dail fel merched yn dal eu gafael yn eu dillad haf i'r munud olaf. Roedd Glesni a minnau ar ddyletswydd bysiau gyda'n gilydd.

'Ti'n setlo yma?' gofynnais, a sylwais ar ei thraed noeth drwy'r sandalau a wisgai.

'Grêt — hyd yn hyn,' meddai. 'Ma' pawb

wedi bod yn dda iawn hefo fi. Ma' hi'n ysgol braf. Ers faint wyt ti'n dysgu yma?'

'Gormod. Pymtheng mlynedd.'

Teimlwn yn uffernol o hen, a hyll, a heglog wrth ei hochor.

'Ta-ra, Miss!'

'Ta-ra, Mrs Lloyd!'

Roedd hyd yn oed y plant wedi mopio amdani'n barod. Trodd ata' i.

'Hen blant annwyl sy' 'ma — gwahanol iawn i'r rhai rôn i'n eu dysgu cyn dod yma. Hen lafna' mawr powld, sti!'

'Mae'r rheiny i'w cael yma hefyd,' atebais, ac amneidio'n sydyn i gyfeiriad y ddau a oedd yn stwffio'u ffordd i sedd gefn y bws olaf yn awchu am smôc. Gallwn gydymdeimlo â nhw. Roeddwn i'n ysu am danio un fy hun yr adeg yma bob dydd.

'Wel, ma' hi wedi clirio yma rwan. Hen bryd i ninnau 'i throi hi, ma' siŵr.'

Trodd Glesni'i thrwyn wrth i'r Crosfil olaf dynnu oddi wrth y giât mewn cwmwl o fwg egsôst. Cerddais hefo hi at ei char.

'Duwadd, Scirocco. Smart.' Roeddwn i'n

swnio fel hogyn ysgol hawdd gwneud argraff arno, 'run fath â'r llafnau hynny a stwffiodd i gefn y bws funud yn ôl.

'Ma' Dewi'n deud nad ydw i ddim yn saff i fod ar lôn! Wela' i di fory!'

A chyda chlep ar ddrws a chwyrniad injan roedd hi wedi mynd a 'ngadael i'n sefyll ar ganol yr iard wag, yn cenfigennu wrth Dewi Lloyd, pwy bynnag ddiawl oedd o, ac yn ffieiddio'n sydyn ataf fi fy hun.

Roeddwn i wedi clywed am y 'mid-leiff creisus' y mae rhai dynion yn mynd drwyddo fo! Ond doeddwn i'n ddim ond deugain oed! Be' oedd yna'n 'greisus' yn fy mywyd i? Dim byd, hyd y gwelwn i. Swydd saff, cyflog cyfforddus, carafán wrth ochor y tŷ, gwyliau ar y cyfandir. Roeddwn i'n cael peint hefo'r hogiau bob nos Wener a gêm o golff ambell fore Sul. Ac roedd gen i Morwen a'r plant. Roedd gen i bopeth yr oedd boi llwyddiannus deugain oed i fod i'w cael, ac roeddwn i'n gwneud y pethau yr oedd boi felly i fod i'w gwneud. Roeddwn i'n fodlon ar fy myd. Pam felly fy mod i'n ymddwyn fel bachgen ysgol mewn cariad am y tro cyntaf bob tro y deuwn o fewn decllath i Glesni Lloyd? Penderfynais yn sydyn fod gen i ormod o ddychymyg! Callia, Elwyn Elis, er mwyn Duw. Mae pobol sy'n chwarae hefo tân yn llosgi. Taniais injan y car a'i chychwyn hi am adref.

Glesni

Roeddwn i'n falch o weld gwyliau'r Dolig. Mae 'na waith setlo bob amser mewn ysgol newydd, ac mae hynny'n straen, waeth pa mor hawdd i'w trin fo'r plant. Roeddwn i'n 'nabod Rhian Morgan, wrth gwrs — roedd hynny'n help i gychwyn — ond mae 'na hen griw iawn yno at ei gilydd. Doeddwn i ddim yn siŵr iawn beth i'w wneud o Elwyn Elis ar y dechrau — clên ambell waith, dro arall roedd o'n anwybyddu rhywun yn llwyr. Penderfynais ei fod o dipyn yn oriog. Ond roddais i fawr o sylw iddo ar y pryd. Mae 'na lot o ddynion fel yna, a maen nhw'n dweud mai ni'r merched sy'n cael 'hulps'!

Tri o'r gloch ac yn tywyllu'n barod. Roedd

y Dolig a'i drugareddau'n gorlifo o ffenestri'r siopau. Brathai'r bagiau plastig i'm bysedd fel y gwthiais drwy'r bobl. Dyna'r drwg yn aml, hefo gwyliau athrawon: yr ysgol yn torri ar ddydd Mercher a'r Dolig ar ddydd Sul. Sôn am ras! Dim ond i Woolworth eto ac roeddwn i am roi'r gorau iddi. Taswn i'n medru cyrraedd cyn iddyn nhw gau! Roedd 'na bobl dan draed ymhob man . . .

'Ti'n edrach yn llafurus iawn!'

'Elwyn! Sut wyt ti, 'chan? Does 'ma le gwyllt, d'wad?'

'Uffernol! Mi ddylan nhw ganslo'r Dolig!'

'Fasan ni'm yn cael holides wedyn, cofia!'

'Pwy sy' isio gwyliau pan mae'r byd i gyd yn mynd yn hollol wallgo! Nacw'n flin, y plant yn swnian, dim digon o bres wedi'i greu . . . Mae'r rheina'n edrach yn drwm — tyrd â hwnna i mi . . .'

Cipiodd Elwyn un o'r bagiau plastig oddi arna' i.

'Be' sy' gin ti yn hwn? Brics?'

'Wyddwn i ddim dy fod ti'n gymaint o ŵr bonheddig!'

'Dwi'n medru'n iawn pan dwi'n trio! Am lle ti'n ei 'nelu hi?'

'Woolworth.'

'A finna. Isio rhyw blydi bylb i oleuada'r goedan Dolig! Dy hun wyt ti?'

'Ia.'

'A finna. Ffansi panad?'

Ac felly dechreuodd pethau. Mewn caffi ar fin cau am chwarter i bump a rhyw damaid o ferch ysgol yn sychu'r byrddau ar frys gwyllt i'n hel ni oddi yno er mwyn iddi hithau gael noswyl. Byrddau fformeica gwlyb a'r siopau'n cau eu drysau fesul un ac un; dyna pryd y dechreuais i deimlo rhywbeth am Elwyn. Pan welais i o am y tro cyntaf ar ôl dechrau yn yr ysgol doedd o ddim wedi gwneud llawer o argraff arna' i. Oedd, roedd o'n eitha dymunol ond doedd dim yn arbennig o'i gwmpas o. Doedd o ddim yn rhy dal nac yn rhy dew, ac roedd ei wallt o'n teneuo ar y top. Ei ddiwrnod cyntaf yn ôl wedi gwyliau'r haf ac roedd botwm ar goll oddi ar ei grys o. Darlun perffaith o athro cyffredin: llwch sialc, mwg sigarét, a gwraig oedd yn methu gwnïo. Ond y prynhawn hwnnw mi sylwais i'n union pa liw oedd ei lygaid o, pa mor ddoniol oedd ei sgwrs o. Am y tro cyntaf ers amser maith mi deimlais gynnwrf. Cefais hyd i deimladau a fu'n mudlosgi tu mewn i mi, teimladau a fu'n rhwystr ers cyhyd.

Morwen

Roeddwn i'n gwybod o'r dechrau bron. Maen nhw'n dweud fod dynion yn gleniach hefo'u gwragedd pan maen nhw ar ganol affêr. Dyna'r arwydd cyntaf, meddan nhw. Ond nid felly yr oedd hi hefo Elwyn. Mi aeth i'w gragen, smocio mwy, siarad llai. Doedd o ddim yn clywed fy sgwrs i, na sgwrs y plant. Roedd ein geiriau ni i gyd yn golchi drosto fo nes i ninnau hefyd fynd yn hesb. Pan ddywedodd o'i fod o'n gadael o'r diwedd, fedrwn i deimlo dim. Roeddwn i wedi gorffen crio flwyddyn yn ôl. Diolchais ei fod o wedi dewis amser pan oedd y plant allan. Rydw i'n cofio hyd yn oed rwan pa mor ddiolchgar yr oeddwn i am hynny. Sefais

17

yno, ar lawr y gegin, yn disgwyl iddo danio injan y car, cychwyn, troi'r gornel, diflannu. Sefais yno, a distawrwydd y tŷ'n cau yn fy nghlustiau.

★ ★ ★

'Ma' golwg iawn ar y plant. Sut wyt ti?'

Tri gair. Sut wyt ti. Ac am ryw reswm, mi wn ei fod o'n ddiffuant. Mae gen i bechod drosto fo bron. Mi aeth a gadael y cyfan. Er ei mwyn hi. Y ferch hefo'r gŵr mewn cadair olwyn, y ferch oedd yn briod â chrupil na fyddai hi byth yn breuddwydio am ei adael. Ei dwyllo, pam lai? Ei adael, byth. Mi fyddai hynny'n ormod o faich ar gydwybod neb. Ydw, mi wn i 'mod i'n chwerw. Fy mraint i ydi hynny.

'Ti'n edrach yn dda.'

Mae o'n trio eto. A dydi o ddim yn gwenieithu. Mi ydw i'n edrych yn dda. Mi wnes i'n siŵr o hynny. Ond waeth iddo fo heb ag ymdrechu. Dydw i ddim am helpu dim arno. Rydw i'n gadael i'w eiriau ddisgyn a darfod, fel cerrig i bwll. Elwyn druan. Wnaeth hi ddim hyd yn oed aros yn ddigon

18

hir i wnïo'r botwm 'na ar dy grys di, naddo? Ynteu oeddet ti'n dal i ddisgwyl i mi wneud pethau felly? Bod yn fam i ti, tra'i bod hithau'n gariad. Ydi hi mor anodd bodloni hefo un ferch sy'n barod i chwarae'r ddwy ran?

'Wel, mi a' i ta. Dim ond galw i weld fod y plant . . . fod popeth yn iawn.'

Ydi, Elwyn. Mae popeth yn iawn. Rwan. Doedd gen i ddim dewis. Gen ti oedd hwnnw. Dos yn ôl i dy ddwy stafell uwchben Siop Gwalia. Marcia dy lyfrau. Darllen dy draethodau. Gwna'r hyn fynni di. Heblaw hel meddyliau. Na, paid â hel meddyliau. Rheiny sy'n brifo am ddau o'r gloch y bore pan mae'r cwlwm yn dy stumog di'n codi i dy gorn gwddw di; pan wyt ti'n fôr o chwys heb wybod pam ac yn rowlio i'r darn gwag o'r gwely lle mae'r cynfasau'n oer. Cod a gwna baned; gwna unrhyw beth, heblaw meddwl. Ac os eith hi'n fain arnat ti ymhen hanner awr a thithau'n teimlo'r nos tu allan i'r ffenest yn bygwth gwthio trwy'r gwydr, pam na wnei di drio dysgu gwnïo dy fotymau?

19

Pwy faga blant?

Roedd pwysau cynnes y gath ar ei glin yn gysur. Eisteddodd Megan yn ôl a chau ei llygaid. Rhywsut roedd tipian cloc y gegin a sŵn y glaw'n diferu oddi ar y landar yn ychwanegu at y distawrwydd. Diolchai amdano. Câi lonydd i freuddwydio am ychydig eto yn y gadair o flaen y ffenest fawr tra golchai glaw mis Awst y gwydr yn lân.

Anadlodd y gath yn drwm yn ei chwsg. Tynnodd Megan ei llaw'n araf dros y blewyn llyfn, sidanaidd fel croen babi. O dan ei bysedd trodd y pawennau'n ddyrnau bach caeëdig a'r grwndi bodlon yn ochenaid plentyn bach — y plentyn na châi hi fyth mohono. Feiddiai hi ddim agor ei llygaid rhag chwalu'r darlun brau o'i meddwl. Weithiau fe welai wyneb bach yn glir, yn wên ddiddannedd i gyd, a'r llygaid yn edrych i fyw ei llygaid hithau. Byddai bron iawn yn gallu anadlu'r arogl llaethog, melys. Dro arall roedd y llun yn niwlog, fel pe bai'n ceisio'i weld drwy wydryn, a gwrthodai ei dychymyg ag ildio'r wyneb bach yr oedd wedi ei greu iddi.

'Fan 'ma wyt ti o hyd? Mae hi'n braf iawn arnat ti'n medru ista mor ddiddig yng nghanol dy lanast!'

Cododd Megan yn sydyn fel y brathodd ei eiriau i'w hymennydd, gan dywallt y gath oddi ar ei glin. Roedd y glaw wedi peidio bellach. Chwaraeai pelydryn bach o oleuni ar y pentwr o lestri budron wrth y sinc, fel pe bai'n ymddiheuro am ei fodolaeth yng nghanol ei heuogrwydd hi.

'Huw! Chlywis i monat ti . . .'

'Naddo, mwn! Sgin ti'm c'wilydd, d'wad? Mi fasa'n rheitiach i ti llnau dipyn ar y lle 'ma, wir Dduw, nag ista ar dy din yn magu'r gath!'

Edrychodd Megan i fyny ar ei gŵr. Roedd y dirmyg yn staen ar ei wyneb, fel y saim ar y platiau cinio. Y dyn a fu'n gariad iddi. Anodd credu rwan fod y fath angerdd wedi bod yn eu caru ers talwm. Bu adeg pan ysai am ei gyffyrddiad. Carent er mwyn ei gilydd, er eu mwyn eu hunain. Ond i Megan daeth angen mwy greddfol na bodloni chwant: roedd arni eisiau plentyn. Onid dyma'r cam nesaf? Y cam mwyaf naturiol? Fis ar ôl mis cafodd siom. Edrychai i mewn i goitsys babis â'i llygaid yn llenwi. Trodd gwely cariad yn wely gorchwyl. Cawsant brofion, Huw a hithau. Arni hi roedd y bai.

'Hitia befo, Meg bach. Dydi hi ddim yn ddiwadd y byd, sti. Ma' gynnon ni'n gilydd,' meddai Huw.

Ond gwrthod ei eiriau a wnaeth, fel y gwrthododd ei gysur y noson honno a phob noson arall. Beth oedd y pwynt oni châi hi faban yn ei chôl a chynnig ei bron i wefus amgenach? Wrth iddynt sefyll rwan yn wynebu'i gilydd ar lawr y gegin, teimlodd Megan ysfa ryfedd i estyn ei llaw a chyffwrdd ynddo. Ond wnaeth hi ddim. Teimlai nad oedd ganddi ddim hawl arno bellach. Roedd pellter pum mlynedd fel weiren drydan rhyngddynt. Trodd yn hytrach at y sinc, at

ddyletswydd llawer haws i'w chyflawni. Pe
na bai wedi troi ei chefn arno efallai y byddai
hi wedi sylwi ar y poen yn ei lygaid; doedd
hwnnw ddim mor amlwg â'r blew gwyn a
frithai ei wallt tonnog yma ac acw. Doedd
dim angen chwilio am y rheiny. Ond ni
sylwodd Megan ar ddim heblaw'r dŵr yn
tabyrddu'n swnllyd o'r tap poeth ac yn
ffrothio i'r hylif yn y ddysgl blastig.
Chlywodd hi mo'r drws yn agor a chau.
Wyddai hi ddim fod Huw wedi mynd o'r
ystafell nes iddi glywed sŵn ei esgidiau ar y
llwybr concrit tu allan, sŵn drws y garej yn
agor, peipen ddŵr yn cael ei llusgo o'i lle —
y synau cyfarwydd o olchi car, synau gwâr,
Sadyrnaidd; synau'r normalrwydd yr oedd
yn rhaid glynu fel gelen wrtho.

Ar un adeg byddai sŵn drws y garej a
Huw'n estyn y car allan ar brynhawn Sadwrn
yn golygu trip i rywle iddynt ill dau. Hwyl
a miri, mwynhau. Felly y bu pethau yn y
dechrau. Huw a hithau'n chwerthin,
pryfocio'i gilydd. Bryd hynny doedd dim
angen geiriau go iawn; roedd tynnu coes yn

gwneud y tro. Syllodd Megan i ben draw'r ardd lle roedd yr awyr yn goleuo ychydig rhwng y coed afalau. Roedd golwg y byddai'n brafio'n nes ymlaen. Dyma'r adeg gorau i fynd allan am dro, meddyliodd, wedi i'r glaw dyneru popeth a throi'r byd yn ddyfrlliw. Sychodd ei dwylo yn ei sgert ac aeth i sefyll i ben drws y cefn. Roedd Huw wrthi'n tynnu cadach yn garuaidd dros fonet y car.

'Huw,' meddai.

'Be'?'

Wnaeth o ddim trafferthu i droi i edrych arni. Roedd arni hi eisiau dweud wrtho pa mor braf fyddai cael neidio i'r car y munud hwnnw a dilyn eu trwynau fel y gwnaent ers talwm; roedd arni hi eisiau dweud: 'Huw, ti'n cofio'r pnawniau hynny ar y traeth a'r tywod yn boeth rhwng bodiau'n traed ni . . . ?' Ond peth gwirion fyddai hynny heddiw, mae'n debyg, dau yn eu hoed a'u hamser yn rhedeg fel ffyliaid ar hyd y traeth. Beth ddywedai pobl? Pe bai ganddyn nhw blentyn . . . wel, mi fyddai hynny'n wahanol.

Gallent fod wedi mynd yno gyda'u picnic, eu pwcedi a'u rhawiau, rhwydi bach i bysgota yn y pyllau rhwng y creigiau, camera i dynnu lluniau ar gyfer albwm y teulu. Pe bai ganddyn nhw blentyn . . . Roedd Huw'n edrych arni rwan, yn disgwyl iddi ateb. Gostyngodd ei llygaid yn sydyn ac edrych ar y patrwm ar ei slipars.

'Ti isio panad? Meddwl gneud un ôn i . . .'

'Arglwydd, un arall? Newydd gael un wyt ti!'

Doedd hynny ddim yn wir. Roedd yna awr dda ers amser cinio.

'Fasa'm gwell i ti fynd i orffan clirio tua'r gegin 'na gynta?'

Baglodd yn ei hôl i'r tŷ. Roedd y gegin erbyn hyn yn fôr o oleuni. Rhwbiodd y gath yn ei choesau fel pe bai'n dweud: 'Paid â phoeni. Dwi yma, yn tydw?' Plymiodd Megan ei dwylo unwaith eto i gysur y dŵr sebon, ac wrth iddi wneud cododd chwa o fybls mân o'r ddysgl a nofio o amgylch ei thrwyn. Chwythodd hithau ambell un o'i

25

blaen a daeth gwên i'w gwefusau am ennyd. Cofiai fel y byddai hi'n blentyn yn chwythu swigod o bot plastig ac yn ceisio'u dal nhw drachefn. Byddai ambell un yn para'n hirach, yn cwafro ar flaen y cylch bach a'i ffurfiodd, yn enfys gyfan, gron. Pleser plentyn yn aros, atgof na allai hi fyth mo'i basio ymlaen.

Gorffennodd y llestri heb sylweddoli bron fod y pentwr o'i blaen wedi clirio. Golchi, clirio, cadw. Roedd ei bywyd hithau bellach fel pe bai hi mewn swigen, yn troi a throi, a hi ei hun yn dal i orfod camu ymlaen neu faglu, fel bochdew'n chwarae yn ei olwyn fach. Roedd merch fach Nans, ei chwaer, wedi dod â bochdew adref o'r ysgol unwaith dros y gwyliau; Nans yn dwrdio, yn dweud mai hi gâi'r gwaith o edrych ar ei ôl o, a Gwenno fach a Megan yn sefyll o flaen y caets yn rhyfeddu. A phleser plentyn yn perthyn iddi hithau eto am ychydig.

★　★　★

26

'Glywsoch chi am Megan Allt Wen felly?'

'Do. Sobor, te?'

'Ia wir. Gin i bechod calon dros Huw. Mae o 'di diodda lot, meddan nhw.'

'Tewch. Wyddwn i ddim!'

'Ewadd Mawr, ydi! Golwg yn y tŷ 'na erbyn diwadd, glywis i. Pob man ar gerddad gynni hi, llestri budron yn crefu am gael 'u golchi. Wn i'm sut doth Huw i ben, na wn i wir.'

'Dydi hynny ddim 'fath â Megan chwaith, nac di? Mi fydda' gynni hi ddiléit mawr yn ei thŷ a'i phetha ar un adag. Mi fuo'r tŷ 'na'n obsesiwn gynni hi ers talwm. 'Dach chi'n cofio fel bydda' hi'n llnau o gwmpas drws ffrynt yn dragwyddol ac yn tynnu llwch ar hyd y dydd?'

'Ydw, cofio'n iawn. Bobol, ma' chwith meddwl amdani tua'r hen Le Mawr 'na.'

'Ydi. Ddaw hi ddim o 'no chwaith ar chwarae bach, meddan nhw.'

'Wel, 'dach chi'n synnu? Mi oedd hi wedi mynd yn reit ddrwg, 'chi.'

'Tewch. Oedd hi wir?'

'Bobol, oedd. Gwrthod deud bw na be wrth neb. 'Mond ista fel mudan ar hyd y dydd yn magu cath mewn siôl!'

'Nefi, mi oedd y gryduras 'di drysu'n lân felly!'

'Edrach yn debyg, dydi? Wel, ma' rhaid i mi 'i throi hi neu mi fydda' i'n hwyr yn nôl y plant 'ma. Sôn am ddrysu, ma'r ddau jyst â 'ngyrru fi'n wirion weithiau! Biti na fyddai'r ysgol 'na'n agored tan bump iddyn nhw ambell dd'wrnod!'

'Wn i'n iawn sut 'dach chi'n teimlo. Ma'r rhai acw dan 'y nhraed i weithiau nes bydda' i'n ymyl sgrechian.'

'Sgrechian fydda' i'n amal, rhaid i mi gyfadda. Mi fydd Ted 'cw'n deud ei bod hi'n drugaradd na sgynnon ni neb yn byw drws nesa i nghlywad i'n tantro! Mi faswn i wrth fy modd tasa rhywun yn dŵad a'u cymryd nhw odd' ar 'y nwylo fi weithiau, dim ond am dipyn. Ma'r gegin 'cw'n edrach fel tasa 'na ryfal wedi bod bob bora ar ôl brecwast!'

'Peidiwch â sôn, Meri fach! Dwi'n cydymdeimlo'n llwyr. Pwy faga blant, wir!'

'Neb ag owns o synnwyr gynno fo, dwi'n deud wrthach chi! Ma' isio darllan ein penna ni! Nefi, 'di hi'n hannar awr wedi tri'n barod? Rhaid i mi styrio; hwyl i chi rwan!'

'Ia, hwyl, Meri. Helô, Mrs Huws. Pawb yn o lew? Doedd hi'n sobor cl'wad am Megan, dwch . . .'

Cyfrinach

Bore o farrug. Mae'r gwynder glân yn troi'n ddiemwntiau ar y gwair wrth ddadmer. Bore o haul. Mae'r pelydrau ifanc yn greulon yn eu hysblander, yn dangos y llwch yn y corneli, a'r baw ar y ffenestri. Fedra' i ddim gweld y mynyddoedd ar hyn o bryd; maen nhw'n anhysbys, yn dryloyw fel rhith. Dwi'n meddwl amdanat ti'r bore 'ma eto. Does gen i mo'r help. Fel 'na mae pethau. Wyt ti'r un fath, ys gwn i? Wyt ti'n meddwl amdana' i hefyd? Roist ti dy freichiau amdani hi neithiwr? Do, debyg. Sut fedret ti beidio? Hi ydi dy wraig di. Fel 'na mae pethau.

Mae'r byd yn dod ato'i hun yn araf, yn dihuno. Mae 'na sŵn ceir yn pasio'n amlach, twrw plant ar y ffordd i'r ysgol, chwyrnu herciog y fan bost yn rhannu'i llwyth. Popeth yn mynd yn ei flaen fel arfer. Pam felly na fedra' innau? Prin y medra' i gofio beth wnes i i swper neithiwr, ond mi fedra' i gofio diwrnodiau cyfan hefo ti fel pe bai'r cyfan wedi digwydd ddoe. Biti na fyddai hi'n ddoe. Ond mae hi'n ddwy . . . yn dair blynedd. Mae arna' i eisiau ddoe yn ôl. Dydan ni i gyd yn dymuno hynny weithiau? Dwi'n mynd yn ôl bob dydd yn fy meddwl, fel camu i beiriant amser. Ŵyr neb i ble'r ydw i'n mynd. Pa hawl sydd gan neb i wybod beth bynnag? Damia nhw. Damia chditha! Doedd gen tithau ddim hawl chwaith. Ond dyna fo, pwy ydw i i sôn am hawl? Doedd gen i ddim mymryn mwy o hawl arnat tithau. Dwi'n cael pyliau o euogrwydd weithiau. Rhyfedd, te? Doeddwn i ddim yn teimlo'n euog o gwbl ar y pryd. Doedd 'na ddim bai arnat ti nac arna' i — dim ond arni hi, am ei bod hi'n bod.

Mae cloc y gegin yn tynnu am naw. Mae'r oriau'n rhedeg i'w gilydd ac yn ceisio rheoli 'mywyd i. Ac i raddau, maen nhw'n llwyddo. Pam na fedar popeth fod fel wyneb cloc, yn ddu ac yn wyn a'r bysedd yn sicr o'u cyfeiriad? Ond dydi pethau byth yn ddu a gwyn; mi ddylen nhw fod ond dydyn nhw ddim. Mae 'na ddarnau o fwrllwch llwyd yn y canol, yn barod i lyncu rhywun i'w safn. Does gen i ddim awydd mynd i weithio, er mai mynd wna' i. Mae 'na gysur mewn gweithgareddau cyfarwydd, cyson. Oes, mae 'na gysur mewn gwaith. 'Laddodd gwaith calad mo neb 'rioed,' meddai Mam ers talwm wrth Bet, ei chwaer, yn doethinebu'r un fath ag arfer wrth dywallt te p'nawn. 'Naddo,' oedd yr ateb ffraeth, 'ond mae o'n gneud golwg uffernol ar ddwylo rhywun!' Bet druan, mae colled ar ei hôl hi. Mae gen i fwy o hiraeth ar ôl Bet na fuo gen i erioed ar ôl Mam. Am y byddai hi wedi gwrando. Erbyn heddiw hi ydi'r un fyddai wedi deall.

Roedd deuddeng mlynedd rhwng Bet a fy mam. Bet oedd yr ieuengaf, a'r ddelaf, o'r ddwy. Dywedai pawb 'mod i'n debyg iddi. Gobeithiwn innau eu bod yn dweud y gwir. Roeddwn i eisiau bod yn debyg iddi yn fwy na dim. Roedd Bet yn fwrlwm o fywyd a hwyl, yn ddeniadol, yn siapus, ac yn canlyn Now ers cantoedd. Rwy'n cofio trio bod yn union yr un fath â hi wrth dyfu i fyny, yn efelychu'i dillad, ei sgwrs, ei stumiau. Roeddwn i eisiau popeth yr un fath ag oedd ganddi hi — popeth, hynny ydi, ar wahân i Now. Doedden nhw ddim yn siwtio'i gilydd o gwbl, ei hasbri hi a'i dawelwch yntau. Wn i ddim beth welodd hi ynddo fo erioed, er bod hynny'n hen beth brwnt i'w ddweud. Mae pawb yn gweld yn wahanol, dydyn? Mi oedd Now'n hen hogyn iawn — ffeind, dibynadwy, meddylgar. Ond roedd yna rywbeth ar goll rhyngddyn nhw rhywsut; pan edrychai Bet arno roedd yna bellter yn ei llygaid, ond dydw i ddim yn meddwl fod Now wedi sylwi ar hynny. Roedd y wên ar ei hwyneb yn ddigon iddo fo.

'Ti am ei briodi o, Bet?' gofynnwn yn aml wrth edrych drwy ei phethau — dillad a thlysau a rhyw fân drysorau felly. Byddai hyn yn ystod y prynhawniau niferus a dreuliwn yn ei chwmni, y chwaer fawr o fodryb yn rhannu cyfrinachau ac yn gwrando ar fy nghlebran dibwys fel pe bai hi'r sgwrs fwyaf deallus a glywsai erioed.

'Ella, rhyw ddiwrnod,' meddai.

'Heb ofyn i ti mae o, ia?' meddwn innau wedyn.

'Naci. Mae o'n gofyn o hyd.' A deuai'r pellter 'na'n ôl i'w llygaid. 'Ond paid ti â deud wrth neb, cofia!' A wnes i erioed.

Ddywedais i erioed wrth neb chwaith am y diwrnod hwnnw pan ges i hyd i'r fodrwy. Chwilota drwy'r drorau roeddwn i yn ôl fy arfer — un o'm hoff bleserau ar y pryd. Roeddwn i yn brysur yn busnesu drwy'r sgarffiau a'r menyg, y rhubanau a'r darnau bach o les, ac yna mi welais i'r bocs. Bocs bach lledr du oedd o, yn nythu ymysg y meddalwch sidanaidd o'i gwmpas.

'Bet! Yli be' dwi 'di'i ffeindio!' Fel petae hi ddim yn gwybod. A hithau wedi'i guddio'n ofalus, fel petae hi wedi trio cuddio darn o'i chalon. A dyna'r tro cyntaf i mi ei gweld hi'n crio, a'r olwg bell 'na'n toddi'n ddagrau distaw.

'Na fo. Dwi'n iawn rwan. Ti isio'i gweld hi?'

Heb ddisgwyl am ateb, agorodd y bocs ar

y fodrwy ddiemwnt harddaf a welais i erioed. Roedd hi'n glwstwr o gerrig bychain, perffaith ac mi wyddwn i, hyd yn oed yn niniweidrwydd f'arddegau cynnar, nad modrwy Now mo hon. Edrychodd arna' i'n hir, yn disgwyl am fy ymateb. Roeddwn i'n syfrdan.

'Ti am briodi rhywun arall, yn dwyt?'

Ysgydwodd ei phen.

'Na, phrioda' i neb byth,' meddai. 'Ti'n gweld, cha' i fyth yr un dwi 'i isio. Ma' gynno fo wraig yn barod. Wneith o mo'i gadael hi bellach. Fedra' fo ddim rwan tasa fo isio. Ma' hi'n ddynas wael. Fasa' petha ddim wedi gweithio. Mae'n anodd i ti ddallt.'

Nac ydi, Bet. Ddim rwan. Dwi'n dallt rwan yn well na neb. Dallt sut i baentio gwên ar fy wyneb bob bore a sut i guddio 'nheimladau mewn drôr. Mae'r fodrwy gen i rwan, a weithiau mi fydda' i'n ei dal hi i fyny i'r golau er mwyn gweld lliwiau'n chwarae mig rhwng y gemau gwynion. Dwi'n cofio wyneb Mam wrth iddi ddweud fod Bet wedi mynnu i mi'i chael hi, yn y dyddiau olaf cyn iddi farw. Wyddai neb am fodolaeth y fodrwy tan hynny. Heblaw amdana' i. A doeddwn i ddim am ddweud, nag oeddwn? Un dda fues i erioed am gadw cyfrinach. Mi ddylet ti wybod hynny'n well na neb. Roedd 'na wefr i ni'n dau mewn perthynas gudd; rhywbeth i ni oedd o, a neb arall. Nes i ti gael dy ddyrchafiad.

Rôn i'n wirioneddol falch drosot ti; roeddet ti wedi gweithio mor galed. A phan ddywedaist ti fod rhaid i ti symud, mynd ar ôl dy swydd, wel, doedd o ddim yn hollol annisgwyl. Roedden ni'n gwybod y gallai hyn ddigwydd unrhyw bryd. Does na'm byd yn para am byth, nag oes? Doedd dim pwynt dweud rhagor. Roedd gennyt dy gyfrifoldebau — at dy waith, ati hi. Mi driais i fod yn gall ynglŷn â'r peth, yn aeddfed. Roedd hi'n dechrau bwrw pan est ti, dafnau o law mân yn disgyn fel pennau pin ar lawes dy gôt di. Hen law'n gwlychu'n sydyn. Finnau'n brathu 'ngwefus yn galed, galed, rhag ofn i mi grio. Wedi'r cwbwl, doeddwn i ddim am i ti 'nghofio fi hefo llygaid cochion am weddill dy oes, nag oeddwn? Rhyfedd fel mae pethau bach, gwirion yn gallu ymddangos yn bwysig weithiau. Ond dyna fo, fel 'na mae pethau.

Wedyn, dim ond wedyn y daeth y salwch bore, a'r sylweddoli. A'r llawenhau'n ddistaw bach am y byddai gen i ryw gymaint ohonot ti ar ôl wedi'r cyfan, ar wahân i'r atgofion. Dwi'n edrych arni hi rwan, ac yn dy weld di. Cyfrinach arall, ond f'un i'r tro hwn. Ti'n cofio'r noson honno ganol haf, ar lan y Fenai, yn sbio ar Sir Fôn? Hen sefyllfa ystrydebol llawn rhamant bocs siocled; ia, efallai. Ond pam lai? Mae dipyn o ramant yn iawn, yn ei le. Goleuadau tai Brynsiencyn — tai dol yn wincio yn y gwyll. Chditha'n wincio arna' i, fel byddet ti'n arfer ei wneud.

'Mirain wyd ymysg moroedd,' meddet ti.

'Pwy, Sir Fôn, ta fi?' medda' finna'.

Eiliad i'w chofio am byth, fel llun camera yn y cof. Dyna pam y galwais i hi'n Mirain. Er cof. A rhyw ddiwrnod, pan ddaw hi'n hŷn, mi geith hithau stori'r fodrwy. Pan ddaw hi'n amser i rannu'r gyfrinach.

Hen stori

Roedd yr ysgol yn fudr ac yn llychlyd. Edrychai llawr yr ystafell ddosbarth fel pe bai'r plant wedi cario hanner y cae i mewn o dan eu hesgidiau. Prynhawn hir o angar ar y ffenestri ac anoracs tamp ar gefnau cadeiriau. Roedd prynhawniau gwlyb ar ddiwedd wythnos yn fwrn ar blant ac athrawon, meddyliodd Nerys yn bigog. Deng munud o'r wers olaf i fynd ac roedd hi'n dechrau cyrraedd pen ei thennyn; deng munud nes bydden nhw'n rhwygo'r cadeiriau ar hyd y llawr ac yn diflannu'n un haflug swnllyd.

'Miss, ma' Cefin yn crio!'

Eto fyth. Roeddech chi bob amser yn cael un, un bach eiddil, tawedog nad oedd ar neb eisiau eistedd wrth ei ymyl, nad oedd ar neb ei eisiau yn eu grŵp nhw.

'Ma' Cef yn crio bob dydd Gwener, yn dwyt, Cef?'

Pan ganodd y gloch o'r diwedd, Cefin oedd yr olaf i adael. Cymerodd oes i hel ei bethau i'w racsyn o fag ysgol. Roedd o mor denau, meddyliodd Nerys. Mor fychan o'i oed.

'Be' sy', Cefin? Wyt ti'n poeni am rywbeth? Mi faset ti'n dweud, yn baset? Mi ddylet fod wrth dy fodd, a hithau'n bnawn dydd Gwener!'

Roedd hi'n siarad gormod. Siarad er mwyn iddo fo gael sbario ateb. Caeodd ei cheg. Roedd y distawrwydd yn llai chwithig na'r geiriau. Edrychodd yntau arni. Roedd ganddo lygaid mawr fel cyw aderyn. Ymestynnai ei wddw main trwy'i goler gan wneud iddo edrych fel pyped bach tlawd. Sylwodd hi erioed o'r blaen pa mor fudr oedd ei grys. Erbyn hyn roedd y llygaid mawr yn syllu heibio iddi ac allan i wacter yr iard o dan y ffenest. Doedd o ddim am ddatgelu dim. Gadawodd hithau iddo fynd, a theimlai'n euog am ei bod yn falch nad oedd angen iddi ddatrys dim ar ei broblemau. Caeodd y drws yn ddistaw ar ei ôl ac fe'i llyncwyd i wlybaniaeth y prynhawn.

Welodd hi mohono fo fore Llun, ond doedd hynny'n ddim byd newydd. Roedd Cefin yn absennol o hyd. Doedd yna fawr o neb ychwaith yn gweld ei golli; cylch bach coch yn y cofrestr ydoedd, yn tarfu ar ddim byd ar wahân i'r rhesi taclus o diciau glas. Neb yn holi, neb yn malio. Roedd yn ei ôl ddydd Mercher â darn o rwymyn pyglyd am ei law dde.

'Be' ti 'di neud i dy law, Cefin?'

Edrychodd y llygaid mawr arni, dim ond am eiliad.

'Llosgi, Miss.'

Byseddodd y tamaid cadach yn ysgafn fel pe bai'n cuddio rhyw gyfrinach fregus. Phwysodd hi ddim mwy arno. Ond am y tro cyntaf dechreuodd gymryd sylw ohono. Pan ddaeth i'w gwers heb feiro, rhoddodd ei hun hi iddo; pan anghofiodd yntau ei rhoi'n ôl, ddywedodd hi ddim byd. Pan oedd ei drwyn yn rhedeg roedd ganddi hancesi papur ar ei gyfer.

'Ti'n poeni gormod amdano fo, Nerys. Un o gannoedd ydi o. Anghofia amdano fo rwan. Fedri di ddim bod yn fam iddyn nhw i gyd!'

'Ti ddim yn dallt, Gari. Faset ti ddim yn deud hynny taset ti'n athro dy hun. Dim ond athrawon fedar . . .'

'. . . fedar ddallt problemau athrawon eraill, ia?' Gorffennodd y frawddeg iddi. 'Yr un hen diwn gron, Ner. Ma' pobol normal yn gadael eu gwaith ar ôl yn y swyddfa, yn cau'r drws arno ar ddiwedd dydd. Be' sy'n gneud athrawon yn bobol mor blydi sbesial?'

Roedd o'n sefyll â'i gefn tuag ati, a sylwodd hithau ar y tyndra yn gwau drwy'i gyhyrau. Fel hyn y byddai'r sgwrs yn gorffen bob tro: Gari'n codi'i lais, hithau'n pwdu, a'r styfnigrwydd yn cau amdani fel llen. Roedd o eisoes yn estyn am ei siaced, arwydd pendant fod y sgwrs ar ben. Teimlai Nerys ei fod o'n ennill pob dadl wrth estyn ei gôt. Llygadodd oriadau'r car yn crogi rhwng ei ddannedd tra oedd o'n chwilota drwy'i bocedi i sicrhau fod ganddo ddigon i godi rownd.

'Ti ddim yn mynd i yfed a gyrru, debyg?'

Doedd hi ddim wedi bwriadu swnio'n biwis. Trodd ei golygon yn ôl at y pentwr llyfrau ar y bwrdd o'i blaen, a chaeodd yntau ddrws y cefn ar ei ôl. Llyfr Cefin oedd ar y top, a byseddodd hithau drwy'r tudalennau blêr yn chwilio am rywbeth y gallai hi ei ganmol. Rhedai ei eiriau'n ribidirês i'w gilydd, yn gybolfa faith heb ddechrau na diwedd. Roedd eu darllen fel ceisio darllen Cefin ei hun.

'. . . dyma fi cael clech gin dad am bod odd fi di deud bod o yn fasdad a dyma fi yn penderfyny rhedeg i fwrdd a nath fi fynd allan o tu a dros wal a trw cau a dod allan wrth cau footbol a oddwn i yn poini am bod odd mam fi yn crio . . .'

Doedd o ddim wedi gorffen ei stori, ond roedd wedi lluchio digon o friwsion i fagu blas. Roedd ei eiriau wedi gafael, fel stori gyfres mewn cylchgrawn. Ond yn wahanol i un o'r rheiny, gwyddai Nerys na fyddai yna rifyn wythnos nesaf yn cynnig diweddglo twt i hon. Roedd hi'n hen stori na fyddai'n diweddu byth.

★ ★ ★

Roedd y ffreutur yn hwrli mwrli o siarad plant, sŵn cyllyll a ffyrc a chlindarddach llestri. Gorweddai aroglau cinio'n dew ar hyd y lle. Safai Cefin tu allan i'r drws yn cicio'i sodlau yn erbyn y pared.

'Be' ti'n neud yn fama, Cefin?'

'Disgwyl mêt fi, Miss.'

'Dwyt ti ddim yn cael cinio?'

'Na, dwi'n iawn.'

Osgôdd Nerys ei lygaid tra'n ymbalfalu'n ffrwcslyd yn ei phwrs. Daliodd yntau i gicio'i sodlau fel pe bai'n tabyrddu rhyw rythm cyntefig. Cynigiodd bisin punt iddo.

'Hwda. Fedri di ddim mynd drwy'r p'nawn heb fyta.'

'Dim diolch, Miss. Ma' gin i bres. Dwi jyst ddim yn teimlo fel byta.'

Gwyddai'r ddau ei fod o'n dweud celwydd. Er gwaethaf eiddilwch ei gorff roedd yna urddas rhyfedd yn perthyn iddo, yn ei hatal rhag pwyso rhagor arno. Wrth iddo godi'i ben am y tro cyntaf i edrych arni disgynnodd y cudyn gwallt a guddiai hanner ei wyneb i un ochr.

'Gan bwy gest ti'r llygad ddu 'na?'

'Neb. Syrthio. Odd' ar 'y meic.'

'Ti'n siŵr? Ti'n siŵr na ddaru dy dad ddim gwylltio hefo chdi, fel y deudaist ti yn dy stori?'

Ysgydwodd ei ben a disgynnodd y cudyn yn ei ôl yn daclus.

'Dim ond stori oedd honno. Stori wirion.'

Doedd ganddo ddim byd arall i'w ddweud. Trodd oddi wrthi i edrych i gyfeiriad y ffrind na fyddai'n ymddangos pe bai o'n aros amdano tan Sul y Pys. Gadawodd hithau iddo fod am na wyddai beth arall i'w wneud. Roedd o fel ci bach trist, yn rhy boenus o ffyddlon i dderbyn sbarion o law estron. Fe'i gwyliodd hi'n mynd, yn ei orfodi'i hun i aros yn ei unfan, a'i lygaid yn llenwi'i wyneb.

Cyflymodd Nerys ei cherddediad nes ei bod allan ar yr iard, a'r awel fain yn chwipio'r lleithder o'i llygaid. Roedd geiriau Gari'n dal i bwyso arni ers ddoe. 'Fedri di ddim bod yn fam iddyn nhw i gyd.' Ond doedd hi ddim yn fam i neb. Efallai mai dyna oedd ei phroblem. Ai dyma'r amser, tybed, iddi hi a Gari drio am eu plentyn eu hunain ac iddi hithau anghofio am yr ysgol am ychydig? Efallai'n wir; rhoi'i gwaith o'r neilltu a chanolbwyntio ar ei pherthynas â Gari, ar godi teulu. Roedd y syniad yn dechrau'i chynhyrfu, yn ffrothio i'r wyneb fel swigod mewn potel lemonêd. Fe ddywedai wrth Gari'n syth ar ôl mynd adref heno. Gofidiai am ei bod yn gweithio'n hwyr a dechreuodd gyfri'r oriau, ei phenderfyniad yn canu yn ei phen.

Doedd car Gari ddim o flaen y tŷ pan gyrhaeddodd yn ei hôl. Fel arfer byddai gartref o'i blaen. Roedd düwch y ffenestri'n ddieithr iddi yn yr hanner-gwyll. Trodd y goriad yn araf yn y clo, yn petruso bron ynglŷn â mynd i mewn i'w thŷ ei hun. Edrychai'r gegin yn union fel y'i gadawyd y bore hwnnw, yn lân a digroeso, a llestri brecwast dau wedi hen ddiferu wrth ymyl y sinc. Erbyn iddi hi gael hyd i'r llythyr, roedd gwacter y tŷ wedi'i lapio'i hun amdani fel mantell, a glynai'i thafod wrth waelod ei cheg, yn grimp fel hen ddeilen. Teimlai'r ystafell mor oer â phe bai'r waliau'n flociau o rew, ond doedd yr oerni ddim yn ei chyffwrdd. Dawnsiai'r geiriau ar hyd y papur rhad; geiriau newydd i'r un hen stori, a beiro las yn eu bygwth arni'r tro hwn. Safai fel delw â'i hwyneb yn erbyn y ffenest, ei llygaid yn cribinio'r tywyllwch am lygedyn o olau car a'i hanadl yn cymylu'r gwydr. Roedd y distawrwydd yn drwm gyda'r disgwyl.

Darluniau

Does yna neb arall ar y traeth ar wahân i'r cwpwl ifanc yn y pellter. Maen nhw'n chwerthin a rhedeg, ac yn gweiddi ar ei gilydd ond mae'r gwynt yn dwyn eu lleisiau, yn cipio'r geiriau o'u cegau a'u gadael yn fud. Mae edrych arnynt fel dilyn hynt cymeriadau mewn meim. Gwelaf stribedyn o las yn ymestyn yn flêr ar draws undonedd yr awyr; dim ond rhimyn main ydi o, fel darn o ruban wedi'i chwythu oddi ar het. Mae'n ddiwrnod o wanwyn cynnar ac mae'r llanw allan. Sylwaf ar y creigiau gwymonllyd yn sgleinio fel cŵn gwlyb. Rwyf mor agos; gallaf flasu'r heli. Ac mae awyr y môr mor iach, mor greulon o iach wrth chwipio drwy f'ysgyfaint. Mae'n tynnu'i ddwylo drwy 'ngwallt, yn lapio'r cudynnau'n gelfydd am ei fysedd oer. Gallaf deimlo pob carreg drwy fy esgidiau meddal, yn pwnio fy nghnawd wrth i mi gerdded. Ond gwrthodaf ildio. Rwyf yn gwneud penyd hefo bodiau 'nhraed.

Mae blwyddyn ers y ddamwain. Ers y ffrae. Ers pan est ti â'r cwch allan. Y noson honno roedd ymchwydd llwyd y tonnau'n gwneud sbort am ein pennau ni i gyd. Mae hi'n flwyddyn i heddiw ac felly'n amser i ddal y briw'n agored er mwyn i ddŵr y môr gael llifo iddo eto, hen friw nad yw'n cael llonydd i geulo. Mae nadau erchyll dy fam yn dal i rygnu ar fy nghof yn gytgan afreal. Roedd hi'n hyll yn ei galar, â'i llygaid a'i cheg yn rhwygiadau blêr yn ei hwyneb. Teimlais y cryndod yn meddiannu fy nghorff. Roedden ni fel actorion mewn drama. Angau'i hun yn cyfarwyddo'r sioe a'r môr yn gefndir perffaith i'r cyfan, yn ffrwtian yn ddistaw fel nyth neidr.

Rydw i'n cofio dy gasáu di am fod mor fyrbwyll. Roedd hi fel pe baet ti wedi sugno'r teimlad ohonof fi a'i chwydu i'r tonnau. Doedd yna ddim byd ar ôl. A hithau'n edrych arna' i fel pe bawn i'n llofrudd, fel pe bawn i wedi dy lusgo di o'i chroth hi a dal dy ben di dan y dŵr. Ddywedodd hi ddim byd. Roedd hi'n haws cyhuddo heb ddweud gair o'i phen. Plannodd hi'r bai ynof hefo'i llygaid a gadewais innau iddo ffynnu tu mewn i mi, fel tyfiant cudd.

Erbyn hyn mae'r misoedd wedi llyfnu'r atgofion a thynnu'r garw oddi arnynt ond nofiant i'r wyneb ambell dro, fel darnau o ddrec. Biti na fedrwn eu cyrraedd i gyd fel maen nhw'n ymddangos a'u sychu'n grimp o flaen y tân. Ac wedyn lluchio pob un i lygad y fflam a gwylio pob darlun yn cynnau ac yn diflannu'n golsyn brau. Mi ddechreuwn gyda'r darlun o'r ffrog, sy'n dal i hongian yn yr un lle, yn rhaeadru dros yr esgidiau yng ngwaelod y cwpwrdd dillad. Y wisg wyryf, wen. Chafodd hithau mo'i hawr ychwaith. Mae'r fêl yno hefyd, yn crogi wrth ei hymyl, yn fy ngwahodd i'w chyffwrdd. Rwyf yn ildio bob tro a bydd ei hysgafnder yn gludio wrth fy mysedd fel gwe.

'Biti am eich ffrog chi. Ond os ewch chi â hi yn ei hôl i'r siop mi gewch eich pres yn ôl, dwi'n siŵr. Fydd eich colled chi ddim hanner cymaint wedyn, Sioned.'

Dyna'r ail ddarlun. Roedd hi'n eistedd yno'n syllu'n syth o'i blaen, a'r faliyms wedi'i thawelu tu hwnt i'm hadnabyddiaeth ohoni. Roedden nhw wedi rhoi'r llonyddwch yn ei llygaid ond doedden nhw ddim wedi rhoi'r geiriau ar ei thafod. Hi ei hun oedd piau'r rheiny. Roedd gwyrdd y môr yng nghroen ei hwyneb a glynai'r casineb yn grwst gwyn yng nghorneli'i cheg. Edrychai arnaf heb fy ngweld, a'i bysedd aflonydd yn tylino'r hiraeth i'w ffunen. A fedrwn i ddim cystadlu â hwnnw. Hiraeth mam oedd ei hiraeth hi.

Wnaiff hi ddim maddau. Ŵyr hi ddim yn iawn pam ei bod hi wedi digio. Dilyn ei greddf mae hi wrth fy nghasáu i. Ŵyr hi ddim beth ddigwyddodd y prynhawn hwnnw. Ŵyr neb. Welodd neb arall mo'r trydydd darlun.

'Be' ti'n drio'i ddeud, Sioned? Fod popeth drosodd, ia?'

'Wnes i ddim deud hynny, naddo? Pam rwyt ti'n mynnu 'ngham-ddallt i bob gafael?'

'Dwi'n trio dy ddallt di, Sioned, ond dwyt ti ddim yn gneud pethau'n hawdd. Be' dwi di'i neud o'i le . . ?'

'Dim byd. Dim ond meddwl roeddwn i y dylen ni aros am dipyn . . .'

'Aros. I be'? A be' am Mam? Dydi hi'n mynd ddim fengach, sti.'

'O ia, dy fam. Mae'n rhaid dod â honno i'r sgwrs bob tro, yn does? Wel, os wyt ti'n poeni gymaint amdani hi ella basa'n well i ti beidio'i gadael hi o gwbl!'

Dydw i ddim yn siŵr a oeddwn i'n golygu brifo. Wnest ti ddim ateb, dim ond gadael i'r geiriau hofran yn y gwacter rhyngom ni. Mae'n rhyfedd, ond fedra' i ddim cofio dy wyneb di; rwy'n cofio'r jîns tyllog yn iawn, a'r hen siwmper werdd yna, ac roedd y glaw wedi plastro dy wallt di'n llyfn ar dy dalcen. Am eiliad gallwn dy ddarllen: ysgwyddau dyn, anesmwythyd hogyn bach, ac allan yn y bae roedd gwynt ffres yn cribo ar hyd wyneb y dŵr.

Y diwrnod hwnnw roedd y môr fel pe bai'n llenwi'r lle, yn chwyddo'n farus i feddiannu'r traeth i gyd. Nid fel heddiw, a'r tywod yn ymestyn yn noeth fel wyneb y lleuad. Mae mwy o frath ar yr awel yma ar lan y dŵr, lle mae'r iasau cyfarwydd yn fy ngherdded wrth i mi drochi blaenau fy esgidiau. Mae yna wefr blentynnaidd mewn gwlychu traed a theimlo'r oerni'n glynu wrth sanau. Rhyfeddaf eto at linell y gorwel, yn fain fel blewyn lle mae awyr a daear yn closio'n berffaith at ei gilydd fel dwy wefus. Rwyf yn ymlacio'n llwyr yn y fan hyn. Arhosaf ychydig yn hwy, er mwyn rhoi cyfle i'r awyr lasu. Cerddaf ymlaen lle mae'r tywod yn wlyb, fel eisin meddal yn llyncu olion fy nhraed.

Yr eneth

Roedd bar y theatr yn orlawn. Sylwodd o ddim ar yr eneth yn syth, ond wedi iddo wneud ni allai dynnu'i lygaid o'r man lle safai hi. Roedd ei gwallt yn gwmwl golau o gwmpas ei phen a'i hysgwyddau. Dyna'r peth a dynnodd ei sylw gyntaf; yn wir, dyna'r peth mwyaf amlwg yn ei chylch — y gwallt a oedd yn aur ac yn arian yr un pryd o dan y golau synthetig. Roedd hi'n fyr o gorff, bron yn eiddil. Roedd hyn i gyd, ynghyd â gwynder tryloyw ei chroen, yn peri iddi edrych braidd fel un o'r Tylwyth Teg. Gwisgai siaced fer a oedd yn gymysgliw o wahanol fathau o las. Tybiai fod ei llygaid yn las hefyd, ond roedd yn rhy bell oddi wrthi i allu dweud. Edrychodd hi ddim i'w gyfeiriad ef o gwbl ac am hynny roedd yn falch; yn falch na wyddai hi pa mor fanwl y craffai arni. Roedd o'n mwynhau syllu arni, ond doedd dim byd yn amrwd nac yn aflednais yn y mwynhad hwn canys yr oedd fel pe bai'n gwerthfawrogi cerflun neu ddarlun dyfrlliw, ac yn ymgolli'n llwyr yn yr hyn a welai. O bryd i'w gilydd taflai hi gipolwg sydyn o'i chwmpas fel pe bai hi'n disgwyl am rywun. Ni ddaeth neb. Ceisiodd guddio'i chwithdod o fod ar ei phen ei hun drwy ollwng ei llygaid i lawr yn ôl ar ei rhaglen.

Roedd yn edifar ganddo bron pan gyhoeddwyd fod tri munud nes byddai'r perfformiad yn cychwyn. Symudodd yn ei flaen yn araf gan adael i draed a chyrff pobl eraill ei wthio'n ymddiheurol foneddigaidd i dywyllwch yr awditoriwm. Erbyn hyn roedd wedi colli pob rhithyn o ddiddordeb yn yr hyn a oedd ar fin digwydd ar y llwyfan. Chwiliodd ar hyd y rhesi o bennau llonydd am amlinelliad y gwallt arbennig hwnnw yn y tywyllwch ond na, roedd wedi'i cholli hi. Ystwythodd yn ei sedd gan deimlo'n sydyn fod ei goesau'n rhy fawr ar gyfer y lle'r eisteddai. Chwarddodd y gynulleidfa fel un gŵr am ben rhywbeth a ddywedodd un o'r actorion. Daeth y sŵn cyfarwydd, sydyn ag ef at ei goed am ychydig a cheisiodd ganolbwyntio. Roedd yr egwyl mor bell i ffwrdd, ac yntau'n gwingo fel plentyn aflonydd.

Pan ddaeth y golau ymlaen o'r diwedd llifodd y rhyddhad drwyddo'n ddafnau cynnes. Mynnodd ei lygaid gael hyd iddi eto ynghanol y dorf. Ac yna'n sydyn, fel mymryn o heulwen ddyfrllyd ar ôl diwrnod hir o law, fflachiodd ei gwallt drwy ddwndwr y symud a'r sgwrsio. Roedd yn ymwybodol ei fod yn stwffio fel llabwst drwy'r bobl ond doedd ganddo mo'r help. Teimlai fod rhyw gythraul yn ei yrru ac roedd y brys yn ei wneud yn ddigywilydd. Pan gyrhaeddodd wrth ei hochr gwyddai fod yn rhaid iddo ddweud rhywbeth wrthi, unrhyw beth, dim ond ei fod yn cael siarad â hi.

'Mwynhau'r perfformiad?' Rowliodd y cwestiwn oddi ar ei dafod cyn iddo sylweddoli ei fod wedi siarad o gwbl.

Edrychodd hithau i fyny arno a gwenodd

yn ansicr fel pe na bai hi'n siŵr iawn ai ei chyfarch hi ynteu rhywun arall yr oedd o.

'Ydw, yn fawr iawn.'

Gwyrdd oedd ei llygaid, nid glas, a smotiau euraid ynddyn nhw, fel pe baen nhw wedi disgyn iddynt oddi ar ei gwallt.

'Be' amdanoch chi?'

'Be'?'

Roedd y ffaith ei bod hi'n awr yn ei holi yntau wedi'i daflu oddi ar ei echel. Brysiodd i ychwanegu at ei ymateb clogyrnaidd.

'O, mwynhau'n arw hyd yn hyn. Mae'r set yn arbennig o effeithiol, ydach chi ddim yn meddwl?'

'Ydi, effeithiol dros ben.'

Roedden nhw yn y bar unwaith eto, a bwrlwm y bobl yn cau amdanyn nhw. Doedd yna neb arall hefo hi; roedd hynny'n amlwg erbyn hyn. Penderfynodd chwarae'n saff, rhag ofn. Mentrodd.

'Eich hun ydach chithau hefyd?'

'Ia.'

'Mynd am y bar ydach chi?'

'Wel, dwi ddim yn . . .'

Doedd o ddim am iddi ateb. Rhuthrodd yn ei flaen.

'Mynd i nôl diod ydw i rwan, a deud y gwir. Gym'rwch chi lymaid hefo fi?'

Roedd wedi synnu at ei hyfdra'i hun. Wrth ddisgwyl ei hymateb trodd ei ben i ffwrdd rhag ofn iddo orfod edrych arni'n ceisio'i wrthod yn gwrtais.

'Gwin gwyn, ta, plîs. Diolch yn fawr.'

Am yr eildro, fe'i taflwyd. Ceisiodd edrych yn hunan-feddiannol fel pe bai'n cynnig diodydd i ferched dieithr bob noson o'r wythnos ac ymladdodd ei ffordd yn dalog at y bar. Erbyn iddo ddychwelyd roedd hi wedi eistedd wrth un o'r byrddau bach crwn yn ymyl y wal. Eisteddodd ar y stôl gyferbyn â hi. Roedd hi'n ymddangos mor gartrefol yn ei gwmni nes y dechreuodd yntau ymlacio. Cafodd wybod mai llyfrgellydd oedd hi wrth ei gwaith ac nad oedd hi'n arfer dod i'r theatr ar ei phen ei hun. Roedd hi i fod i gyfarfod â'i ffrind y noson honno ond fod rhywbeth wedi drysu'i chynlluniau hi, mae'n debyg. Gwenodd yntau ac ateb mai felly y gwelech chi bethau'n digwydd weithiau. Yna, fel pe bai'n gweld ei gyfle'n sydyn, meddai:

'Gyda llaw, Idris dw i.'

'Elenid.'

Roedd hi wedi tynnu'r siaced fach las a'i gosod ar y stôl wag wrth ei hymyl. Ysgydwodd ei gwallt o'i hwyneb gydag un symudiad celfydd o'i phen a gwagiodd y diferion olaf o'i gwin. Roedd ôl ei gwefusau'n binc, berffaith ar ymyl y gwydryn. Ni fedrai yntau feddwl am ddim byd diddorol i'w ddweud ond roedd yn bwysig ei fod yn dal ati i siarad; dyna'r unig beth a'u cadwai yno wrth y bwrdd. Ond roedd eu sgwrs yn bygwth dod i ben o hyd, fel dail yn darfod diferu ar ôl cawod o law. Doedd dim amser i gynnig diod arall iddi; byddai'r perfformiad yn ailgychwyn ymhen eiliadau. Anwesai hithau goes ei gwydryn gwag rhwng ei bys a'i bawd ac wrth iddi wyro ymlaen rhyw ychydig disgynnodd ei gwallt yn ysgafn yn ei ôl yn erbyn ei boch. Dychmygodd ei fysedd yn gwau drwyddo, yn ei feddiannu, a'i bersawr blodeuog yn goglais ei ffroenau.

Pan edrychodd hi arno, teimlodd ei bod yn gallu darllen ei feddwl. Cywilyddiodd.

Wrth iddi estyn am ei siaced sylwodd yntau ar ei modrwy briodas. Doedd o ddim wedi sylweddoli. Roedd ef ei hun yn briod ers cyhyd fel y gallai anghofio ar adegau fod ganddo wraig o gwbl, ond doedd o ddim wedi ystyried y gallai'r eneth hon fod yn briod hefyd. Cydgerddai siom ac eiddigedd drwy'i gorff; llifai'r teimladau i mewn iddo'n araf, fel gwlybaniaeth drwy dwll yn ei esgid. Sylwodd ar ymchwydd diymhongar ei bronnau o dan gotwm glân ei chrys. Doedd hi ddim yn deg fod neb yn cael cyffwrdd ynddi o dan y deunydd gwyn, tenau. Roedd hi mor fregus, mor wyryfol â dol degan yn ei olwg.

'Diolch am y gwin. Efallai y gwelwn ni'n gilydd eto rhywbryd.'

Cyn iddo gael cyfle i ateb roedd hi wedi mynd i fod yn aelod anhysbys o'r gynulleidfa unwaith yn rhagor. Roedd yntau'n falch o gael bod yn ei ôl yn y tywyllwch y tro hwn er mwyn i'w feddyliau gael cyfle i fagu croen amddiffynnol o'i gwmpas. Wnaeth o ddim edrych amdani ar ddiwedd y perfformiad, dim ond baglu allan rhwng y seddau, â'i goesau'n gwegian, fel coesau dyn a oedd newydd godi o'i wely ar ôl bod yn dioddef o'r ffliw. Golchodd awyr y ddinas dros ei wyneb fel y camodd allan drwy'r dorau gwydr; awyr yn drwm o aroglau palmentydd llwyd a cheir wedi hen basio heibio. O dan yr ewin main o leuad, roedd goleuni oren lampau'r stryd yn ddigyfaddawd yn nhawelwch y noson glir.

Glaw tyfu

Roedd hi'n dawel yn y gegin. Gwyliodd Sera bry ffenest yn taro'n ofer yn erbyn y gwydr cyn disgyn.

'Dydan ni ddim yn siarad yr un iaith erbyn hyn. Deud y gwir, dydan ni ddim yn siarad o gwbl, dim ond yn gneud sŵn geiriau hefo'n cega.'

Edrychodd ar y ddynes hŷn a eisteddai gyferbyn â hi. Gollyngodd honno dabled sacarin arall i'w choffi a'i droi'n ddefodol.

'Be' am Emlyn?'

'Dydi hwnnw ddim wedi sylwi fod 'na ddim o'i le, am wn i. Un fel 'na fuo fo 'rioed. Dwn i ddim sut i ddeud wrtho fo. Oes 'na ffordd arbennig o ddeud wrth dy ŵr dy fod ti'n ei adael o?'

Syllodd allan ar y glaw llwyd yn cau am bobman, ar ddiwrnod heb ddeffro, yn fudr, farwaidd fel hen bapur newydd.

'Ti 'di meddwl am hyn yn ofalus?'

'Wedi meddwl cymaint nes bod fiw i mi feddwl mwy. Rhag ofn.'

'Rhag ofn be'?'

Nid atebodd y ferch, dim ond estyn soser i dderbyn llwch sigarét y llall. Roedd aroglau cynnes cacennau ffres yn felys drwy'r lle. Eisteddent yn rhesi taclus ar led ymyl i oeri. Sugnodd Medwen ar ei sigarét a gollwng edefyn o fwg o gornel ei gwefusau.

'Ti'n edrach ar ei ôl o'n dda drwy'r cwbwl.'

'Ydw. Mae hynny'n lleddfu rhywfaint ar 'y nghydwybod i.'

'Pa gydwybod, Sera? Dwyt ti ddim wedi gneud dim byd. Wyt ti?'

Dechreuodd yr oergell ar ei grwndi ysbeidiol o'i chornel rhwng y peiriant golchi llestri a'r cwpwrdd sosbenni. Roedd yr unedau cegin o goed pîn melyn bron yn chwithig yn eu newydd-deb. Oni bai am y cacennau, a'r briwsion a ddisgynnodd drwy'r tyllau sgwâr yn yr hambyrddau a'u daliai, gallasech daeru fod y cyfan yn dal i fod yn rhan o arddangosfa mewn siop. Ar y silff wrth ben y sinc roedd basgedaid chwaethus o flodau sychion, eu lliwiau'n cydweddu'n berffaith â'r teils drud ar y waliau o'u cwmpas.

Am ennyd gadawodd Sera i'w llygaid grwydro'r stafell heb droi dim ar ei phen, fel pe bai hi'n edrych o gwmpas tŷ rhywun arall. Oedd, roedd hi'n gegin ddel. Roedd popeth wedi'i ddewis yn ofalus, yn dilyn y ffasiwn ddiweddaraf, i'r ddeddf. Bu'n breuddwydio am gael cegin fel hon; mor wahanol ydoedd i gegin ei mam, a'r hen fwrdd mawr, hyll hwnnw'n mygu'r lle. Cofiai'r lliain coch trwm a daenwyd drosto rhwng prydau bwyd. Wrth y bwrdd hwnnw'r eisteddai hi'n gwneud ei gwaith cartref, a'i mam yn sefyll y pen arall iddo'n smwddio. Bryd hynny diflannai'r lliain coch am ysbaid, a gorchuddid hanner y bwrdd gyda chynfas wen. Codai cwmwl o damprwydd o bob dilledyn yn ei dro, a dilynai hithau drwyn yr haearn bron heb yn wybod iddi hi ei hun. Roedd dwylo'i mam yn hŷn na'i hwyneb, yn pwyso, yn llyfnu, yn plygu, ac roedd hen gloc parlwr Anti Grês ar y pentan yn amseru pob symudiad, ei urddas solet yn ddieithr, ddu uwchben aroglau'r stêm.

Welodd Emlyn erioed mo'r gegin honno. Gresynai Sera. Am nad oedd wedi gweld y gegin teimlai hi ei fod heb weld rhan ohoni hithau. Pan oeddynt yn canlyn, i'r ystafell ffrynt y gwahoddid ef bob amser, i eistedd ar un o'r cadeiriau gorau; hon oedd yr ystafell lle'r oedd y cyrtenni les, lle'r oedd balchder ei mam yn disgleirio ar gaead y biano.

'Dy feddwl di'n bell?' Roedd llais Medwen yn rhy agos, yn rhy uchel, yn crafu ar ei myfyrdod.

'Ydi, am wn i.'

'Ti'n edrach yn ddigon llwydaidd. Ti'm yn cysgu, nag wyt?'

Na, doedd hi ddim yn cysgu. Ddim yn iawn. Doedd hi ddim yn gwneud llawer o ddim byd yn iawn ers wythnosau. Ers y diwrnod y daeth Dewi Ty'n Ffrwd yn ei ôl i'r pentref, ei gorff wedi trymhau, ei wallt o'n britho. Roedd ganddo wraig bengoch a dwy o ferched bach yr un ffunud â hi, car mawr gwyn a Labrador du. Cerdded y ci yr oedd o pan darodd hi arno'r noson honno. Welodd hi mohono fo'n syth oherwydd ei hambarél.

'I be' wyt ti isio honna?' Daliodd ei law allan yn smala. 'Dydi hi ddim yn bwrw glaw werth dim!'

Ond yr oedd hi'n glawio, yn fân, fân; hen smwc bach trist fel pe bai'n disgyn o bot pupur. Tynnodd hithau'r ambarél at ei gilydd yn ofalus, ofalus, yn falch fod ganddi rywbeth i'w wneud â'i dwylo.

'Fyddai mymryn bach o law ddim yn dy boeni di ers talwm.'

Roedd yr hen ddireidi'n chwarae o hyd rhwng ei lygaid a'i wefusau. Safai pobman yn llonydd tra gwthiai'r haf ei ffordd yn ôl drwy'r tamprwydd. Roedd ambell gar yn pasio heibio, ei deiars yn sisial ar hyd y lôn wlyb. Allai hi ddim cofio'n iawn wedyn yr hyn a ddywedodd hi wrtho, dim ond ei bod wedi gwneud iddo chwerthin. Doedd hi ddim wedi anghofio sut i wneud hynny. Ac wrth gerdded adref arafodd ei cham, rhag cyrraedd yn rhy fuan. Wrth wylio'r gwlybaniaeth yn diferu o'r cloddiau daeth oerni sydyn o dwll ei stumog a chau'i llwnc.

Erbyn iddi gyrraedd y tŷ gwelodd fod Emlyn wedi rhoi'r teledu ymlaen. Dawnsiai'r cysgodion ohono ar y ffenest gyferbyn, yn ffals yn eu bywiogrwydd, fel fflamau tân nwy. Roedd hi'n olygfa gyfarwydd, gyson, yn ymestyn o'i blaen hyd dragwyddoldeb. Y funud honno byddai hi wedi lecio crio, pe bai'n ddim ond i deimlo gwres y dagrau ar ei boch. Ond doedd wiw — byddai'r rheiny wedi gadael ôl. Pan estynnodd Emlyn amdani'r noson honno roedd hiraeth yn ei pharlysu. Am ennyd, nid Emlyn mohono. Ac wedyn gorweddodd yn llonydd, yn amseru curiadau'i chalon gyda thipiadau'r cloc, yn disgwyl am olau dydd. Llyncodd, ond gwrthodai'r lwmp sych fynd i lawr; llosgai'n galed yn ei gwddf, fel darn o grystyn.

Mewn pentref mor fychan byddai wedi bod yn amhosib iddi hi a Dewi beidio â chyfarfod ei gilydd o dro i dro. Ond yn raddol fe ddaeth y naill yn fwy ymwybodol o symudiadau'r llall. Byddai hi'n mynd i lawr i'r stryd yn rheolaidd i wneud ei siopa; mynnai yntau'i bapur dyddiol. Sicrhâi'r ddau ohonynt fod gorchwylion beunyddiol yn eu taflu at ei gilydd, a chyda'r sylweddoli trodd pob gorchwyl yn rhywbeth i edrych ymlaen ato, yn bum munud o bleser yma ac acw. Cadwai Sera bob pum munud ar wahân yn ei chof a'u trysori fel hen gardiau penblwydd. Tan ddoe. Ddoe fe ofynnodd iddi, ar y pafin tu allan i'r banc, ac roedd y gwynt yn gafael yn ei gwallt ac yn ei dynnu'n glir o'i hwyneb. Doedd yna ddim byd i guddio tu ôl iddo bellach. Edrychai yntau i bobman ond arni hi, fel pe na bai'n sicr a oedd o am iddi ei ateb. Doedd pethau ddim yn ddiniwed rhagor; roedd ei gwestiwn wedi dadwisgo'u cyfeillgarwch a'i adael yn noeth. Teimlai Sera fod pawb yn syllu arnynt, yn gwybod yn union beth oedd geiriau Dewi. Am ennyd gwnâi ei heuogrwydd hi'r amhosib yn bosib, a drybowndiai ei chalon yn ei chlustiau, fel pe'n ceisio boddi'r tinc twyllodrus yn ei lais o pan ddywedodd:

'Mi fydda' i yng ngwaelod Lôn Rhyd am wyth.'

Cyrhaeddodd Dewi'n brydlon am bum munud i wyth. Safai hithau yno, yng nghysgod y gwrych, yn ei wylio'n disgwyl amdani. Roedd hi mor agos fel y gallai ei weld yn curo blaenau'i fysedd yn erbyn y llyw, yn edrych ar ei wats, yn anesmwytho. Ceisiai anadlu'n ddistawach ond roedd pob gwynt a gymerai'n gwthio'n flêr drwy'i brest, fel pe bai rhywun yn ymosod arni â chyllell boced. Teimlai ei thraed fel talpiau o glai, yn drwm a disymud ar y ddaear laith lle safai. Dim ond dau gam ymlaen o'i chuddfan — dyna'r cyfan oedd ei angen. Wrth iddo aildanio'r car o'r diwedd fe gaeodd ei llygaid rhag ofn iddi orfod ei wylio'n mynd. Caeodd ei dyrnau hefyd, mor dynn nes bod olion ei hewinedd fel rhesi o bwythau ar hyd cledrau ei dwylo. Roedd hi'n oer.

Er gwaethaf cynhesrwydd y gwpan goffi rhwng ei dwylo rwan daeth cryndod sydyn drosti wrth gofio'r oerni hwnnw. Edrychodd ar fysedd Medwen yn gwasgu'r stwmp sigarét i'r soser. Roedd rhywfaint o'r paent pinc wedi cael ei blicio oddi ar flaen pob un o'i hewinedd ac edrychent yn siabi, fel petalau hen rosyn.

'Paid â bod yn fyrbwyll, Sera. Sbia o dy gwmpas. Yli lwcus wyt ti. Difaru faset ti. Cymer gyngor gan un sy'n gwbod. Mi faset yn lluchio'r cyfan sgin ti i'r gwynt, ac er mwyn be'?'

Y cyfan oedd ganddi. Ei chegin foethus a'r dodrefn pîn; y carpedi golau yn gorlifo'n hufennog o un ystafell i'r llall. Roedd ei phen yn ysgafn, yn canu hefo lleisiau: y cyfan sy gen ti . . . paid . . . byrbwyll . . . paid . . . 'Na wna odineb!' Wnes i ddim! 'Mi feddyliest am wneud, yn do? Yn do? Mae hynny cyn waethed!' Nacdi Tad! 'Ydi mae o!' Wnes i ddim . . . 'Wyth o'r gloch . . . gwaelod Lôn Rhyd . . .' Wnes i ddim, naddo? Wnes i ddim . . .

Doedd Medwen ddim wedi dweud yr hyn a fynnai hi ei glywed. Wrth gau'r drws ar ei hôl teimlai fel pa bai rhywun wedi dwyn rhywbeth gwerthfawr oddi arni ac ni fedrai yn ei byw feddwl beth ydoedd. Roedd ei dwylo'n crynu'r mymryn lleiaf wrth iddi ddadbacio'i ches a'i ddychwelyd i'w le arferol ar ben y wardrob. Llyfnodd gwilt y gwely'n frysiog a thynnu crib yn brennaidd drwy'i gwallt. Byddai Emlyn gartref toc. Edrychodd o'i chwmpas, yn chwilio am gysur yn y pethau cyfarwydd — y slipars wrth draed y gwely, y blodau melyn, mân ar y papur wal. Doedd dim byd yn edrych yn wahanol i'r arfer, ar wahân i'r crychau yn y dillad a fu ymhlyg yn y ces ers y bore hwnnw. Ond doedd fawr o ots am y rheiny — crychau dros dro oedden nhw. Caeodd ddrws y wardrob arnyn nhw'n dynn. Tu allan roedd hi'n dal i fwrw'n ddistaw; dafnau hirion, syth, fel llafnau cyllyll. Glaw tyfu.

Y ceffyl tegan

Pan oeddwn i'n blentyn roedd yr heli'n blasu fel hen halen, ac roedd aroglau glân ar y gwymon. Roedd y pethau hyn yn finiog fyw, yn rhan o'r tyfu i fyny. Maen nhw'n ddarnau bach o'r llun hwnnw yn y cof sy'n gwneud plentyndod yn rhywbeth i hiraethu amdano. Ac mae Liwsi'n un o'r darnau hynny. Liwsi Huws â'i llygaid tywyll a'i dannedd bychain bach. Roedd hi'n dlws, a'i chroen fel pe bai lliw haul arno drwy gydol y flwyddyn, yn felyn-frown fel mêl wedi crisialu. Fframiwyd ei hwyneb mewn cyrls duon, tynn a phan chwarddai ymddangosai'r dannedd perlog oedd ganddi rhwng ei gwefusau main. Ond rhyw dlysni caled oedd o, y tlysni tywyll, cyntefig yma a berthynai iddi hi. Roedd hi'n hardd fel mae anifail gwyllt yn hardd, yn wyliadwrus effro. Doedd ganddi ddim o feddalwch siwgwr-candi genod bach; yn y

71

sbeit a gyrliai gorneli'i gwefusau hi a'r bryntnwch a lechai tu ôl i'w llygaid hi yr oedd ei hapêl. Heb y pethau hynny fe fyddai wedi bod yn ddisylw, yn blaen hyd yn oed.

'Ma' 'na waed sipsiwn yn rhywle yn y Liwsi 'na,' meddai Mam. 'Gwylia di dy hun hefo hi. Thrystiwn i m'oni hi ddim ond cyn belled ag y gwelwn i hi!'

A 'nhad yn dweud dim, fel arfer, a'i lygaid yn feddal, frown uwchben ei getyn, yn ei gwylio drwy ffenest y gegin wrth iddi nesu at y tŷ. Wedyn byddai hi'n curo, yn ddi-lol, ymosodol, fel plismon wedi dod i'm nôl.

'Ydi Siân yn dwad allan?' Yr un fyddai'r cwestiwn, a'r un fyddai ateb Mam:

'Mi ofynna' i iddi rwan.'

Ac mi fyddwn innau'n mynd bob tro. Roedd gan Liwsi afael rhyfedd arna' i fel na allwn i mo'i gwrthod. Roedd arna' i ofn ei sbeit, a'i llygaid du, diwaelod. Ond roedd y cythraul ynddi'n heintus, yn cydio fel cyffur ac yn cerdded fy nghroen fel pryfed bach. Y cythraul hwnnw oedd y peth na fedrwn i mo'i anwybyddu; roedd o'n rhan ohoni hi, yn nofio dan yr wyneb ym mhyllau'i llygaid.

Ym mhen arall y pentref yr oedd Liwsi'n byw, y pen uchaf, lle'r oedd y cae chwarae, a'r tai cyngor a wynebai ei gilydd yn rhesi unffurf, llwyd. Doedd dim byd yn wahanol yn y tai, heblaw am liwiau'r drysau. Y tŷ hefo'r drws glas oedd tŷ Liwsi, yr ail o'r pen, hefo clwtyn sgwâr o lawnt o'i flaen, yr un fath â phob un arall yn y rhes. I'r cyfeiriad hwnnw yr oedden ni'n cerdded rwan, yn gyflym, bwrpasol hefo Liwsi ar y blaen a dŵr lemon o haul yn diferu'n felyn i'n llygaid ni.

'Does 'na fawr o bwynt mynd i'n tŷ ni,' meddai Liwsi'n sydyn, a stopio'n stond o fy mlaen. 'Does 'na ddim byd i neud yno. A chawn ni ddim mynd i dy dŷ di, na chawn, rhag ofn i ni neud lle blêr!'

Edrychodd arna' i'n gyhuddgar. Fe wyddai'n iawn sut i wneud i mi wingo. Yna trodd oddi wrthyf yr un mor sydyn a sawru'r awyr fel eboles aflonydd.

'Tyrd yn dy flaen,' meddai. 'Mi wn i lle'r awn ni.'

Ac wrth iddi frasgamu yn ei blaen fe

73

ddilynais innau'n ufudd, ofnus, heb stopio o gwbl er bod rhai o'r cerrig mân oddi ar y llwybr wedi disgyn yn faleisus drwy'r tyllau yn fy sandalau.

'Oes gin ti bres, Siân?' Roedden ni wedi cyrraedd y stryd fechan lle'r oedd dyrnaid o siopau'n nythu ymysg y tai, a blodau mewn basgedi'n hongian bob ochr i ddrws y dafarn ar y sgwâr, yn fathodynnau o biws a choch ar y lifrai o baent du a gwyn.

'Wel? Oes ta nag oes?' Roedd hi'n edrych arna i'n ddisgwylgar, yn gwybod beth fyddai fy ateb, ei choesau brown yn rhy hir i'w ffrog gotwm rad.

'Ma' gin i rywfaint.' Symudodd fy llaw'n reddfol i'r boced lle'r oedd y pwrs bach brown yn brolio'i bresenoldeb drwy'r deunydd haf tenau. 'Pam?'

'Mae 'na fws hanner dydd i'r dre,' meddai, ei llygaid yn sgubo'r stryd.

'I'r dre'? Ond fedran ni ddim!'

'Pam? Ma' gynnon ni bres rwan, yn does?'

'Fydd Mam ddim yn gwybod lle'r ydw i . . .' Ond gwyddwn na fyddai dim pwynt dadlau. Doedd Liwsi ddim yn gwrando p'run bynnag, dim ond yn cerdded yn ôl a blaen yn bigog a'i llygaid ar ben uchaf y stryd.

'Faint o'r gloch ydi hi ar dy wats di?'

'Pum munud wedi. Dan ni'n rhy hwyr.' Gwnes fy ngorau i swnio'n siomedig ond roedd Liwsi eisoes yn rhedeg i'r lôn â'i braich allan fel baner.

Dim ond chwe milltir oedd yna i'r dref ond wrth lyncu arogl y bws gwyrdd a dilyn Liwsi'n sigledig i'r seddau cefn teimlwn fel pe bawn i'n cychwyn i ben draw'r byd. Roedd y bws yn hanner-gwag, a phawb a eisteddai ynddo'n syllu'n brennaidd o'u blaenau heb ddweud dim, fel pe bai rhu crynedig yr injan wedi eu hypnoteiddio a pheri i'w gwefusau ludio wrth ei gilydd. Eisteddai Liwsi â'i thrwyn ar y ffenest yn gwylio'r caeau'n gwibio heibio. Roedd hithau hefyd fel pe bai hi wedi'i tharo'n fud. Ar un o'r seddau yng nghanol y bws eisteddai hen ŵr. Fo oedd yr unig un â'i geg yn agored ac roedd ei dafod fel pe wedi'i phwytho i un

75

ochr ohoni. Roedd o'n gafael yn dynn ag un llaw gnotiog yng nghefn y sedd o'i flaen ac roedd gen i bechod drosto fo, am ei fod o'n hen.

Sgytiodd y bws i mewn i'r dref ac roedd Liwsi'n ein gwthio ni'n dwy allan o'r sedd, lle'r oedd olion ein coesau noeth yn hir ac yn wlyb ar y lledr cogio. Roedd hi'n boeth ac roedd yna garreg yn fy esgid i o hyd. Llusgais tu ôl i Liwsi, gan feddwl y byddai Mam yn fy nisgwyl yn ôl i ginio unrhyw funud. Byddai'r bwrdd wedi'i osod a'r cetl yn stemio'n ddistaw ar gefn yr Aga.

'Tyrd, Liwsi. Rhaid i ni frysio os ydan ni am gael y bws nesa'n ôl.

'Gad i ni fynd i mewn i un siop arall cyn mynd.'

'Ond 'sgynnon ni ddim pres, dim ond digon i godi tocyn yn ein holau.'

'Dim ond mynd i mewn i gael gweld,' meddai Liwsi'n benderfynol.

Roedd hi'n ogof Aladin o siop, yn fach ac yn dywyll a phob math o fân dlysau a thrugareddau'n brothio ohoni. Dim ond y ni'n dwy oedd yno ar wahân i hen wreigan yn eistedd yn gwau yn yr hanner-gwyll. Roedd yno arogl rhyfedd yn hofran uwchben y trysorau rhad; arogl melys, trwm a wnâi'r tro yn lle golau dydd.

'Sbia,' sibrydodd Liwsi, a'i llygaid fel cnapiau o lo. 'Sbia peth del!'

Ceffyl tegan, gwyn oedd o, a'i fwng a'i gynffon yn sgleinio dan haenen o baent lliw aur. Safai ar un o'r silffoedd yng nghanol llawr y siop, yn edrych yn fach, fach rhwng dau bot blodau a soser lwch wedi'i gwneud allan o gragen. Ni allai Liwsi dynnu'i llygaid oddi arno. Sylwais ei bod hi bron yn ugain munud wedi un, ac roedd arogl y siop yn dechrau codi pwys arna' i.

'Tyrd yn dy flaen, Liwsi, neu mi gollwn ni'r bws!' Camais allan i'r cynhesrwydd, am unwaith yn poeni am yr hyn a ddywedai Mam yn hytrach na'r hyn a ddywedai Liwsi.

Roedd y bws yno'n disgwyl pan gyrhaeddon ni'r man aros, yn chwythu ac yn crynu'n swnllyd fel rhywbeth byw. Llithrais i'r sedd gyntaf ac eisteddodd Liwsi wrth fy ochr heb ddweud dim. Wnaeth hi ddim hyd yn oed mynnu mynd i'r tu ôl fel o'r blaen. Roedd yr hen ŵr yno eto, yn eistedd yn yr un lle. Symudodd y bws yn ei flaen.

'Siân!' Roedd Liwsi'n fy mhwnio, a thôn ei llais yn fy ngorfodi i edrych arni. 'Siân, yli!'

Yno, yng nghwpan ei dwylo lliw mêl, roedd y ceffyl tegan, yn wyn fel dannedd Liwsi wrth iddi edrych arno. A phan gyrhaeddon ni'n ôl yn y pentref roeddwn i'n ysu am i fy nhraed gyffwrdd caledwch y pafin. Rhedais nerth fy nhraed, oddi wrth y bws, oddi wrth Liwsi, heb edrych yn ôl, a'r gwaed i gyd yn rhuthro i fy mhen. Roeddwn i'n teimlo'n euog, mor euog â phe bawn i wedi gafael yn ddistaw ac yn ofalus yn y ceffyl fy hun rhwng fy mys a 'mawd a gwasgu'i oerni caled i blygion fy ffrog. Meddyliais am yr hen ŵr a'i lygaid melyn yn treiddio trwy gefnau'r seddau. Roedd arna' i eisiau taflu i fyny.

Allwn i ddim credu fod Liwsi wedi galw i'm nôl wedyn y diwrnod hwnnw. Ond roedd hi yno, yn wyneb-galed ar stepan y drws a

Mam yn chwythu'n boeth i fy nghlust i ar y ffordd allan.

'Gofala nad wyt ti'n hwyr yn dod yn d'ôl!'

Doedd dim rhaid i mi fynd. Ond mynd wnes i. Roedd hi'n oer ar y wal wrth geg yr afon lle'r oedd y môr yn llifo i mewn yn ddu ac yn ddistaw heibio'r pier.

'Rôn i'n poeni nad oeddat ti'n mynd i siarad hefo fi,' meddai Liwsi, mewn llais a wnâi, rywsut, i mi ei chredu hi. Islaw roedd yna ddau gwch rhwyfo'n cydanadlu gyda symudiad y dŵr.

'Tyrd, neidia i lawr,' meddai hi'n sydyn. 'Mi eisteddwn ni am funud yng nghwch Defi John.'

Roedd gwaelod y cwch yn llaith, a'r gwlybaniaeth brown yn glynu wrth fodiau'n traed ni, ond roedd hi'n braf yn eistedd yno'n wynebu'n gilydd, yn siglo'n ôl a blaen a'r awel yn cosi'n gyddfau ni.

'Dyma ti,' meddai Liwsi. 'Gei di gadw fo. Presant.'

A chyn i mi sylweddoli beth oedd yn

79

digwydd roedd hi wedi rhoi'r ceffyl tegan yn fy nwylo i.

'Wnei di fod yn ffrindia'n ôl hefo fi rwan?' gofynnodd, a minnau'n gafael yn dynn yn y ceffyl am na wyddwn i ddim beth arall i'w wneud. Gallwn weld ei fwng bach aur o'n sgleinio rhwng fy mysedd i.

Welais i mo Liwsi'n datod y rhaff a ddaliai'r cwch wrth y wal. Pan ddechreuodd hi godi'r rhwyfau a'u tasgu trwy'r dŵr meddyliais mai chwarae'n wirion yr oedd hi. Nes i mi sylweddoli'n bod ni'n symud, a bod waliau gwyrdd y bont yn dod yn nes.

'Liwsi! Be' wyt ti'n neud?'

Ond roedd hi'n chwerthin yn uchel, yn gwneud sioe ohoni'i hun, er y gwyddwn nad oedd hi erioed wedi rhwyfo cwch yn ei bywyd o'r blaen.

'Paid â phoeni! Mae o'n hawdd; dwi'n gwbod be' dwi'n neud!'

Pan lithrodd y rhwyf o'i llaw chwith a rhwygo drwy'r dyfroedd brown collodd Liwsi ei phen yn llwyr. Ceisiodd badlo'n wyllt gyda'r rhwyf oedd ar ôl gan wneud i'r cwch bach droi yn ei unfan fel basged. Yna roedd y lli wedi gafael ynddo ac roedd yn ein sugno i fyny'r afon. Roedden ni o dan y bont a sgrechfeydd Liwsi'n cael eu mygu gan y waliau a'u llysnafedd llaith.

'Liwsi! Stedda'n llonydd! I fyny'r afon dan ni'n mynd, nid allan i'r môr. Mi fyddan ni'n iawn. Liwsi!'

Ond doedd hi ddim wedi fy nghlywed i. Pan ddaethon ni'n ôl i olau dydd yr ochr draw i'r bont roedd hi'n crio'n swnllyd. Roedd dagrau hir, gludiog yn rhedeg i lawr ei bochau ac yn gadael llinellau tywyll ar eu holau. Sylwodd hi ddim ar yr afon yn culhau ac yn gollwng ei bygythiad, nac ar Defi John yn rhedeg nerth ei garnau ar hyd ymyl y lan ac yn addo pob math o bethau mawr pan gâi afael arnom. Arhosodd y cwch o'r diwedd, a phwnio ymyl glaswelltog y lan yn dyner fel pe bai'n ein cymell i gamu ohono. Llithrai Defi John i lawr y llepan a'i draed ym mhob man, ar dân i achub ei gwch, a daliai Liwsi i igian yn uchel. Roedd hi'n edrych yn fach ac yn fudr a'i chyrls duon yn gwymona i lawr ochrau'i hwyneb. A doedd ei llygaid hi ddim yn ddu ddim mwy, fel pyllau'r nos. Brown oedden nhw, fel rhai 'nhad. Ond roedd y rhain yn wlyb ac yn goch hefyd, llygaid geneth fach ar ôl bod yn crio. Cofiais yn sydyn fy mod i'n dal i gydio'n dynn yn y ceffyl nes bod ei garnau bach tegan wedi gwneud tyllau yng nghledr fy llaw. A chyn i Defi John ddod yn nes fe'i gollyngais yn ddistaw dros ymyl y cwch. Ffurfiodd gylch bychan ar wyneb y dŵr, cymaint â chwpan de, cyn diflannu.

Leanne

Roedd desg Iwan Lloyd mor flêr a di-drefn
â'i feddwl. Edrychodd eto rhwng y
llythrennau aur ar y ffenest — 'Winston
Hughes a Lloyd — Cyfreithwyr' — a'i galon
yn ei wddf fel lwmp o bwdin. Bron, bron yn
bump ac roedd hi'n dal yno'n sefyll. Roedd
golwg oer arni. Damia! Y bitsh fach wirion.
Doedd o ddim wedi bargeinio am rywbeth
fel hyn. Dim ond dipyn o hwyl oedd o i fod,
ond rwan roedd hi'n dechrau mynd yn blydi
niwsans ac mi roedd yntau wedi cael llond
ei fol. Bron heb yn wybod iddo'i hun roedd
ei lygaid yn crwydro i gyfeiriad y ffenest.
Roedd ei choesau hi'n hir yn y jîns glas a
wisgai, ac er ei waethaf fe'i cafodd ei hun
eto'n edmygu siâp ifanc ei thin dan groen y
denim.

'Pump o'r gloch, Mr Lloyd!' Ei
ysgrifenyddes. Ffyddlon. Parchus.

Gweithgar. Pe bai hi'r ferch olaf ar wyneb y ddaear fyddai o byth wedi medru'i ffansïo hi ac roedd gwybod hynny'n rhyddhad i'r ddau ohonyn nhw. Roedden nhw'n medru gweithio'n ddi-lol hefo'i gilydd, a'r un o'r ddau'n gorfod cogio o flaen y llall. Heno, fodd bynnag, roedd ei llais fel cnul marwolaeth.

'Iawn, Alys.' Doedd o ddim eisiau gwybod.

'Mi a' i, ta. Os nad oes 'na rwbath arall . . .'

'Dim byd. Cerwch chi.' Wnaeth o ddim hyd yn oed trio cuddio'r ffaith fod ei phresenoldeb yn hofran yn y drws yn rhygnu ar ei nerfau. Roedd yntau wedi blino, yn ysu am gael mynd adref at aroglau caseról Elen a chlebran y fechan ond roedd arno ofn symud. Ddoe roedd hi wedi laru disgwyl amdano, ac yntau'n llechu fel lleidr yn nhywyllwch ei swyddfa tan oedd hi wedi chwech ymhell. Ond doedd wiw iddo fod yn hwyr heno, a rhieni Elen yn dod acw i swper. Byddai'n rhaid iddo'i hwynebu hi'r tro yma.

Disgwyliodd tan chwarter wedi pump er mwyn rhoi cyfle i bawb arall glirio oddi yno. Doedd dim eisiau iddyn nhw ddal hon yn rhedeg ar draws y lôn i siarad hefo fo yn ei hanorac rad a'r sigarét fawr 'na'n glyfar yn ei llaw hi. Roedd o'n dechrau casáu'r darlun ohoni hi rwan am fod hwnnw wedi drysu'i syniad o ohono'i hun. Roedd o wedi meddwl fod ganddo chwaeth. Onid oedd ei waith, ei gartref ac Elen yn brawf o hynny? Ac wedyn mi ddaeth hon hefo'i sodlau uchel a'i choesau noeth i weithio i garej Iori. Bryd hynny roedd yna gynnwrf poeth yng ngwaelod ei fol pan stopiai i brynu petrol ac i geisio'i hudo hi hefo'i lygaid. Ofnai i ddechrau na fyddai hi ddim yn deall y neges roedd o'n geisio'i roi iddi; fedrai hi ddim rhoi'r newid cywir heb gyfri ddwywaith a hyd yn oed wedyn doedd hi byth yn hollol siŵr. Ond er mor ddi-glem yr oedd hi'n ymddangos ynglŷn â phopeth doedd dim angen llawer o ddeallusrwydd arni i ddarllen y chwant yn ei wyneb o a'i droi i'w melin ei hun. Daeth i ddeall y byddai'r dyn yn y siwt hefo'r car mawr crand yn galw'n amlach ac aeth ei sgertiau hithau'n fyrrach.

Ar wahân i betrol gwerthai Iori bethau da, diodydd meddal, papurau newydd. Bythefnos ar ôl iddi hi ddechrau gweithio yno roedd Iwan Lloyd yn stopio yn y garej bob dydd.

'Dwi 'di cadw'ch *Daily Post* chi'n fama, 'cofn iddyn nhw fynd i gyd,' meddai hi wrtho un bore. Roedd ei chrys-T'n glynu am ei bronnau bach pigog. O gwmpas ei llygaid roedd y paent glas wedi'i daenu'n dew ac yn anghelfydd a blew'r amrannau'n estyn allan yn ddu fel coesau pry copyn. Mor wahanol i'r ffordd gynnil y colurai Elen ei hwyneb er mwyn rhoi'r argraff nad oedd hi'n gwisgo dim byd ar ei chroen.

'Be' 'di dy enw di?'

'Leanne.' Doedd o ddim wedi disgwyl y byddai ganddi enw Cymraeg. Neidiodd y pryfed cop i fyny ac i lawr wrth iddi syllu arno ac meddai hi: 'Braf arnach chi hefo digon o bres i fforddio car felna!'

Roedd hi'n ddigywilydd ac yn ei ddenu

mwy a mwy. Teimlai'r un wefr ag a gawsai'n hogyn bach yn dianc allan i chwarae hefo'r plant o'r tai cownsil ar ôl i'w fam ei rybuddio i beidio mynd ar eu cyfyl. A rwan, er ei fod o'r hyn oedd o, a Leanne yr hyn oedd hi, gwyddai'r ddau ohonyn nhw eu bod nhw'n chwarae'r un gêm. A phan gytunodd hi i ddod allan hefo fo llwyddodd rywsut i gau gweddill ei fywyd o'r golwg yn daclus cyn camu i fyd arall am ddwyawr, dair, hefo Leanne. Doedden nhw byth bron yn dod allan o'r car, ond gwyddai nad oedd fawr o wahaniaeth ganddi am hynny. Roedd hwnnw'n un o'r atyniadau o'r cychwyn.

'Ers faint ti 'di 'madael o'r ysgol?'

'Dwi'n sefntîn,' atebodd yn herfeiddiol â'i llygaid yn culhau wrth iddi danio sigarét. Gosododd y leitar yn ôl yn y dashbord.

Fel arfer roedd o'n casáu gweld merched yn smocio. Ond roedd pethau'n wahanol hefo hon. Roedd y ffordd y drachtiai'n hir a chwythu'r mwg allan wedyn heb symud ei cheg mor fendigedig o goman â'r gweddill ohoni.

'Ydi dy wraig di'n lot hynach na fi?' gofynnodd un noson.

'Deng mlynadd.' Roedd o'n swta. Doedd o ddim am drafod Elen hefo hon, o bawb. Doedd wiw i'r ddau fyd gyffwrdd. Pleser dros dro oedd Leanne, rhywbeth y gallai ei daflu o'r neilltu hefo'r euogrwydd cyn i neb weld, fel cylchgrawn amheus. Ond doedd o ddim wedi blino arni eto; roedd ei chorff yn gul ac yn ufudd dan ei ddwylo, a'i llygaid profiadol dan y colur plentynnaidd yn dal i'w ddifyrru. Nes clywodd Elen yr oglau smocio yn ei gar o, a gweld y blychau llwch yn llawn.

'Ôn i'n meddwl dy fod ti wedi rhoi'r gorau iddi,' meddai. Roedd hi'n edrych heibio iddo â'i hwyneb fel cerflun, yn oer ac yn berffaith.

'O, Ifan sydd, te,' meddai yntau. 'Dwi'n rhoi pás i fewn i'r dre' iddo fo rwan ers sbelan. 'I wraig o isio'r car. Honno 'di dechra gneud dipyn o waith llanw, yli. Ond rwbath dros dro ydi o. Fydd hi ddim wrthi am yn hir eto. Wsnos neu ddwy.' Roedd o'n egluro'n rhy gyflym, a'i lais o'n disgyn yn wag ac yn denau ar ei glustiau'i hun. 'Ifan yn smocio fel stemar,' meddai wedyn ond doedd o ddim yn siŵr a oedd hi'n dal i wrando arno fo.

Osgôdd garej Iori. Cafodd ei betrol mewn llefydd eraill a rhyfeddai wrtho'i hun fel yr âi'r wythnosau heibio pa mor hawdd oedd anghofio fod Leanne wedi bodoli o gwbl. Tan rwan. Roedd hi'n hongian o gwmpas y caffi ar draws y lôn ers dyddiau'n disgwyl am ei chyfle. Sut gwyddai hi? Doedd o ddim yn cofio dweud wrthi lle'r oedd o'n gweithio. Wnaeth o ddim hyd yn oed dweud wrthi mai cyfreithiwr oedd o. Ond roedd hi wedi cael hyd iddo. Roedd hi yn amlwg nad oedd hi ddim mor wirion â'i golwg, meddyliodd yn sur wrth gloi'r drws ar ei ôl a chamu allan ar y palmant.

Roedd hi'n croesi'r lôn tuag ato rwan ac yntau'n dal i gerdded yn ei flaen. Rhedodd ar ei ôl wedyn, yn tynnu sylw, ac arafodd yntau. Byddai siarad â hi'n llai o embaras.

'Be' sy?' meddai hi. 'Tim isio'n nabod i rwan, ta be'?' Roedd ei llais hi'n boenus o gyfarwydd.

'Be' wyt ti isio, Leanne?'

Roedd hi'n dal i edrych yn goman, er nad oedd hi wedi paentio'i llygaid y diwrnod hwnnw, ac roedd sigarét yn mygu rhwng ei bysedd fel estyniad ohoni. Y tro hwn roedd popeth ynglŷn â hi, popeth roedd o wedi'i wneud hefo hi, yn stwmp ar ei stumog. Trodd i roi'r goriad yn nrws ei gar.

'Dwi'm 'di stopio meddwl amdanat ti ers pan nest ti orffan hefo fi.' Roedd hi'n hel ei bysedd hyd ochr y car wrth siarad, a gwingodd yntau fel pe bai hi'n cyffwrdd ynddo fo. Trodd arni.

'Gorffan? Be' ti'n feddwl? Doedd na'm byd i'w orffan . . .' Caeodd ei geg yn sydyn, yn sylweddoli'i fod o'n gweiddi. Pam roedd yn rhaid iddo fo egluro dim byd i hon, beth bynnag?

'Gwranda, Leanne. Doedd o'n ddim byd. Ti'n gwbod hynny'n iawn. Dipyn o hwyl, dyna'r cyfan oedd o! Doedd o'n ddim byd,' meddai wedyn wrth ei gwylio'n rhygnu stwmp y sigarét hefo'i hesgid ac yn gollwng y mwg olaf o'i cheg.

'Sut gest ti hyd i mi?' gofynnodd o'r diwedd. Roedd yn rhaid iddo gael gwybod. Wedi'r cyfan doedd hi ddim mor glyfar â hynny.

Atebodd hi ddim, dim ond mynd i boced ei jîns. Trodd ei lygaid oddi wrth ei chluniau main.

'Hwn,' meddai. 'Mi oedd 'na rai yn dy gar di, doedd?'

Ei gerdyn busnes o. Shit! Roedd hi'n ei ddal o'n feiddgar rhwng ei bys a'i bawd a'i llygaid yn hir ac yn galed yn yr wyneb bach gwyn.

'Dos, Leanne!' meddai, yn cwffio i roi awdurdod yn ei lais. 'Ma'r hwyl drosodd. Sgin ti'm hawl i ddwad ar f'ôl i fel hyn. Dos rwan, 'na hogan dda.' Roedd o'n swnio'n dadol rwan, yn pledio ac yn bygwth yr un pryd. Ond roedd hi'n dal yno, yn sefyll ei thir.

'Leanne! Os na ei di rwan a gadael llonydd i mi, mi wna i . . .'

'Mi wnei di be'?' Poerodd y cwestiwn yn goeglyd i'w wyneb. 'Gyrru plisman ar f'ôl i, ia? Rêl blydi twrna!' Roedd hi'n chwerthin rwan, hen chwerthin cras heb hiwmor ynddo o gwbl. Daliodd ei llaw'n sydyn ar ddrws y car gan ei rwystro rhag cau'i hun i mewn ac meddai, a'r chwerthin wedi mynd i gyd:

'Dwi'n disgw'l!'

Llaciodd ei gafael yn y drws ond wnaeth o ddim sylwi. Roedd ei ben yn dechrau mynd yn ysgafn; doedd y pethau o'i gwmpas ddim yn real ddim mwy — tarmac y maes parcio, bloc bychan sgwâr y toiledau cyhoeddus, cefnau'r siopau'n gwyro i lawr i'r dde — nofiai'r cyfan yn llwyd o flaen ei lygaid, a sgip melyn y Cyngor Sir yn erbyn y wal yn llachar, hyll, yn brifo trwy'r niwl yn ei ben. Anadlodd yn hir, yn ceisio cymryd cysur o'r aroglau lledr a godai o seddi'r car. Manteisiodd Leanne ar ei dawelwch.

'Rhaid i mi gael pres gen ti rwan,' meddai.

Daeth sŵn ei geiriau ag ef allan o'r niwl. Edrychodd arni'n iawn a'i gasáu'i hun am ei chyffwrdd erioed. Beth wnaeth iddo feddwl bod hon yn ddwl? Dylai fod wedi adnabod ei chyfrwystra wrth iddo adnabod yr hen, hen brofiad o dan wynder ei chnawd ifanc.

'Gleua hi'r bitsh bach g'lwyddog! A phaid ti â dwad o fewn canllath i mi na lle dwi'n gweithio eto!' Roedd ei dafod o'n dew wrth weiddi'r geiriau. 'Dos! Hegla hi! Neu difaru wnei di! Dallt?'

Mi aeth hi wedyn, yn rhedeg yn ddall allan o'r maes parcio fel geneth ysgol wedi cael ffrae. Gorffwysodd yntau ei dalcen yn erbyn y llyw a geiriau'r ddau ohonyn nhw'n morthwylio'n erbyn esgyrn ei ben.

Roedd y swper hefo rhieni Elen yn hunllef. Roedd o wedi anghofio sut i lyncu. Roedd y lleisiau o gwmpas y bwrdd bwyd yn hofran uwch ei ben, yn bell ac yn agos bob yn ail, ond yn gyson fel su gwenyn.

'Diwrnod caled yn y gwaith, Iwan?' Ei fam-yng-nghyfraith, yn llygadog a chall, yn ceisio tynnu llaw dros ben y distawrwydd a orweddai'n dew rhwng ei merch a'i gŵr gorweithgar.

'Digon i'w wneud. Ambell beth yn

pwyso'n drymach na'i gilydd ar feddwl rhywun.'

Roedd yr edrychiad a daflodd Elen i'w gyfeiriad fel gwynt oddi ar rew.

Ar ôl y pwdin dihangodd i fyny'r grisiau i weld Mererid. Ond chafodd o ddim cysur yn y fan honno chwaith; roedd y bochau bach babi yn erbyn y gobennydd yn ei atgoffa o'i euogrwydd. Dro ar ôl tro roedd digwyddiadau'r prynhawn yn gwthio i'w feddwl ac yn lledu yno fel tamprwydd. Yn erbyn ei ewyllys roedd o'n gweld, yn clywed, yn arogli Leanne ac ofnai ei fod o'n drysu. Y noson honno roedd o'n dyheu am gael disgyn i drwmgwsg er mwyn i'w feddwl stopio troi ond roedd arno ofn mynd i fyny i'w wely am fod Elen yno: doedd dim rhaid iddo — roedd hi'n wynebu'r ffordd arall a'i llygaid yn ffugio cwsg. Doedd hi'n disgwyl dim byd ganddo.

Rhygnodd y dyddiau'n wythnosau, a welodd o mo Leanne. Ond roedd hi'n dal yng nghefn ei feddwl, fel hen afiechyd yn bygwth ailgodi. Ymladdodd i resymu ag ef ei hun. Roedd y peth wedi darfod, wedi chwythu'i blwc. Ddôi hi ddim yn ei hôl a diolchodd yntau'n ddistaw am ail gyfle. Doedd hi ddim yn talu i ddilyn ei dad ym mhob dim, meddyliodd yn chwerw. Roedd hwnnw wedi cyboli hefo merched ar hyd y blynyddoedd heb fethu mwynhau'r un pryd bwyd; mae'n debyg ei fod o wedi bod yn ddoethach yn ei ddewis ohonyn nhw.

Fel y llaciodd dwrn y gaeaf ei afael ym mhopeth meiddiodd Iwan ailddechrau mwynhau byw. Cododd ei galon wrth weld misoedd yn llithro heibio. Llwyddodd i berswadio Elen nad oedd o wedi bwriadu 'gor-wneud pethau' yn y gwaith ar draul eu perthynas. Roedd pethau'n gwella. Roedd hyd yn oed ei ddesg o wedi tacluso.

'Un arall, Mr Lloyd,' meddai Alys. 'Rhyw Miss Preis.'

Gwenodd Iwan yn hunan-foddhaus. Pum munud wedi pedwar a dim un apwyntiad arall ar ôl hwn. Câi orffen yn gynnar; ei sbydu hi hefo'r cleient olaf 'ma, wedyn potel o win ar y ffordd adref, blodau i Elen cyn iddyn nhw gau . . .

'Gyrrwch hi drwodd, Alys.'

Pan gerddodd y ferch i mewn dan wthio'r bygi'n drwsgl o'i blaen teimlodd Iwan fel pe bai darn o lastig wedi cael ei glymu am ei beipen wynt, a'i fod o'n cael ei dynhau'n araf wrth iddo geisio anadlu. Roedd bod yn fam wedi aeddfedu ei chorff hi, wedi rhoi bol iddi.

'Leanne,' meddai. 'Leanne.' Roedd ei lais yn fflat, yn dynn, fel pe bai'n cael ei wasgu trwy fangl. Gwnaeth ymdrech i beidio edrych ar y babi. Teimlai fel dyn yn boddi'n araf mewn cors, yn edrych o'i gwmpas yn wyllt ac yn dal i gael digon o amser i weld popeth yn llithro o'i afael. Doedd y llyfrau ar hyd y waliau, y ddesg drom, yr ysgrifen aur ar y ffenest, doedd yr un o'r pethau hynny yn golygu dim rwan. Roedden nhw'n chwalu'n llwch o flaen ei hyder newydd, mamol hi.

Sylwodd ar y lliw cochlyd yn tyfu allan o'i gwallt hi wrth iddi blygu uwchben y bygi. Daliai sigarét fawr yn ei llaw chwith tra oedd hi'n sythu'r gynfas o gwmpas traed y plentyn hefo'r llall. Eisteddodd wedyn, heb iddo ofyn iddi, a'i wynebu.

'Mae hi bron yn dri mis,' meddai, a rhywbeth bron iawn fel balchder yn ei llais. 'Kelly Marie,' ychwanegodd. Roedd hi'n gwylio'i wyneb o.

Doedd o'n dweud dim o gwbl, dim ond gadael i bethau ddigwydd o'i flaen fel pe bai'n gwylio drama.

'Enw neis, dydi? Mam ddaru feddwl amdano fo.' Roedd ei llygaid yn dal i gulhau pan dynnai ar sigarét.

'Petha'n anodd,' meddai wedyn. 'Hon angan lot. Ei thad hi'n bygro i ffwrdd y munud clywodd o. 'Y ngadal i ar y clwt heb gynnig sentan beni at 'i chadw hi.' Gwyrodd ymlaen yn y gadair. 'Rôn i'n meddwl ma' chi fasa'r un gora i'n helpu fi, Mr Lloyd. Ma'r tad yn goro helpu, rhoid pres a ballu, tydi? Dyna ddudodd Mam. Be' sy'n iawn sy'n iawn, te, Mr Lloyd?'

Gollyngodd y mwg o'i cheg heb symud yr un dim ar ei gwefusau.

Glanhau'r ffenestri

Trip ysgol oedd o, trip diwrnod i Bytlins.

'Ma' pawb arall yn mynd. Fi fydd yr unig un ar ôl.'

Doedd y llais ddim yn swnio fel llais deuddeg oed. Roedd ynddo ormod o hiraeth.

'Os ca' i fynd, wna' i ddim swnian am ddim byd arall eto. Mi fasa'n braf cael bod 'run fath â'r lleill.'

'Sut fedri di fod? Ma' gin y lleill dad.'

Roedd y ddau ohonyn nhw'n gwybod nad oedd angen iddi ddweud. Edrychodd y bachgen i fyw llygaid ei fam. Ers pan fu farw'i dad roeddan nhw'n llwyd, fel pe bai rhywun wedi colli dŵr am ben y glas ac wedi'i wanio. Roedd ganddo farblen yn ei gasgliad a oedd yr un lliw'n union; dim ond weithiau y byddai honno'n edrych yn las go iawn hefyd.

'A phaid ti â sbio arna' i fel 'na chwaith, yr hen gena bach. Trio gneud i mi deimlo'n euog wyt ti, mi wn i'n iawn. Dyna wyt ti 'di'i neud erioed. Wel, chei di ddim gneud hynny i mi'r tro yma. Does 'na neb yma i gadw dy gefn di rwan, cofia!'

Fyddai hi byth yn fodlon nes ei bod hi wedi ennill. Y cryndod yn ei wefus isaf oedd ei buddugoliaeth hi. Roedd ei gwnwisg wedi'i chlymu'n llac am ei chanol ac edrychai fel anrheg wedi'i lapio'n ôl ar frys. Doedd y sidan pinc ysgafn ddim yn gweddu iddi; roedd o'n rhy hardd. Hongiai ei bronnau'n flêr tu mewn i'w choban, a theimlodd yntau'n sydyn na allai edrych arni. Llithrodd heibio iddi a chodi'i fag ysgol oddi ar y llawr wrth droed y grisiau. Roedd hi wedi anghofio'i ddeffro fo'r bore hwnnw hefyd. Ddywedodd hi ddim byd wrth iddo fynd allan; roedd hi wedi anghofio ei fod o yno.

Cychwynnodd gerdded â'i stumog yn glynu'n wag wrth ei asennau. Ceisiodd gamu'n frasach nes bod ei glustiau'n brifo a'i wynt yn dianc yn herciog o'i geg yn bycsiau bach niwlog. Roedd y bore'n damp ar ei dalcen wrth iddo rowndio'r tro i gyfeiriad Siop Elfed. Cododd ei fag yn dalog ar ei ysgwydd a phlannodd ei ddwylo yn ei bocedi cyn wynebu'r hogiau. Wrth gyrraedd arafodd ei gam. Doedd yna neb yno. Roedd y pafin tu allan i'r siop yn wag, a dim bag ysgol na phlentyn yn unman.

Safai yno ar y gornel, ei wisg ysgol yn ei wneud yn wahanol i bawb arall ar y stryd. Teimlai'n ddieithr, yn estron, a'r bws wedi hen fynd. Doedd ganddo ddim hawl i fod yno'n sefyll, a hithau'n ddiwrnod ysgol. O'r becws gyferbyn deuai aroglau bara cynnes. Meddyliodd am weddillion y dorth yn nhŷ'i fam, torth wedi'i thorri'n barod, yn gyfleus yn ei diwyg o blastig coch. Sylweddolodd fod arno eisiau bwyd, ac roedd y bag ar ei ysgwydd yn boenus o drwm. Sychodd friwsionyn o gwsg o gornel ei lygad a'i chychwyn hi i lawr yr allt ac allan o'r pentref.

Ei draed aeth â fo i gyfeiriad yr afon. Roedd hi'n gynnar o hyd ond roedd drws cefn Pen-y-bont yn agored led y pen, yn ei groesawu cyn iddo gyrraedd y tŷ. Dechreuodd redeg.

'Anti Lisi! Anti Lisi! Dach chi adra'?'

Roedd o yn y pasej bach tywyll rhwng y drws cefn a'r gegin, a gwadnau meddal ei esgidiau'n slempian yn swnllyd ar y teils cochion.

'Bobol Mawr! Lle ma'r tân? A be' wyt ti'n 'i neud yma ar ddiwrnod fath â heddiw? Sgin ti'm ysgol, dywed?'

'Colli'r bws.'

'Felly?' Roedd y crygni yn llais Lisi'n ei atgoffa bob amser o aderyn, ond wyddai o ddim pa un. 'Methu codi nath hi, ia?'

'Ia.'

'Dos at y bwr'. Ma' na banad yn y tebot.'

Torth y diwrnod cynt fyddai gan Lisi bob amser. Roedd y frechdan yn denau a'r triog yn drwm ar ei dafod, yn hel surni'r bore cyntaf o'i geg. Edrychodd o gwmpas y bwrdd wrth gnoi, ar y llestri glas a gwyn, a'r cylch gwlyb lle bu'r botel lefrith. Roedd blewyn o driog wedi diferu dros y llew bach aur a serennai oddi ar ochr y tún.

'Fyddan ni byth yn cael menyn crwn yn tŷ ni.'

'Estyn ato fo. Mi dorra' i chwanag o fechdan.'

Roedd o'n debyg i'w dad, meddyliodd Lisi. Yr un llygaid.

'Ga' i aros yma nes bydd 'rysgol drosodd? Wnewch chi ddim deud, na wnewch?'

'Fasat ti fawr o ddwad yma taswn i'n debyg o ddeud, na fasat?'

Gwenodd yntau am y tro cyntaf y bore hwnnw.

'Biti na faswn i'n cael dwad yma i fyw atoch chi!'

'Be' ma hi wedi'i ddeud wrthat ti rwan, 'y ngwas i?'

'Dim byd.' Craffodd yn galed ar y llew bach aur.

Phwysodd hi ddim arno, dim ond rhoi mwy o fara menyn ar ei blât. Roedd brychni ar hyd ei breichiau i gyd, yn frown fel y crystyn ar y dorth. Gorffennodd ei ail frechdan, yn falch ohoni i lanhau'i wddf cyn iddo ddechrau siarad.

'Dwi ddim am gael mynd i Bytlins hefo'r lleill.'

'O. Wela' i.'

Roedd y te'n ei gynhesu, yn cysuro'i du mewn, ac roedd yr haul eisoes wedi dod rownd at ddrws y cefn a thaflu cylchoedd bach o olau gwyn ar gochni'r llawr teils.

'Ga' i neud rhwbath i helpu?' Roedd y bwyd yn ei fol a'r haul yn y pasej yn gwneud iddo deimlo'n saff, yn rhoi iddo'i hyder yn ôl.

'Ma' hi'n ddiwrnod da i llnau'r ffenestri, ddeudwn i. Be' wyt ti'n 'i ddeud?'

'Iawn, a' i i lenwi'r bwcad.'

Roedd o'n mwynhau rhoi'i ddwylo yn y dŵr cynnes, a gwrando ar y cadach lledr yn gwichian yn erbyn y gwydr. Chwysai'n braf wrth weithio, ac roedd gwres ei gorff yn codi i'w dalcen ac yn chwalu'r boen a lechai tu ôl i'w lygaid. Ffenestri hen-ffasiwn oedden nhw a'r tywydd wedi llyfu'r paent oddi ar y fframiau coed. Dechreuodd chwibanu, undon o chwibanu isel, bodlon, ac roedd adlewyrchiadau'r dail ar y coed tu cefn iddo'n dawnsio'n wyllt yn y gwydr glân. Teimlai ei ddwylo'n feddal ar ôl bod yn y dŵr, yn ddieithr fel dwylo geneth. Gwagiodd y bwced yn ofalus i'r clwstwr o ddalan poethion a dyfai'r ochr arall i glawdd yr ardd, a gwylio gweddillion y swigod sebon yn llithro drwy'r dail ac yn glynu wrth y gwyrddni fel llwch arian.

'Gest ti orffan, 'y ngwas i?' Roedd Anti Lisi'n gweiddi o'r drws, yn crychu'i llygaid rhag yr haul, ond yn edrych arno yntau'r un pryd.

'Do, Anti Lisi. Ew, mi oedd y dŵr ola' na'n fudr hefyd!'

'Oedd, greda' i.'

'Y ffenestri ffrynt oedd futra'.'

'Ia. Heli oedd arnyn nhw ar ôl i'r hen wynt 'ma fod yn chwythu o'r môr.'

'Heli, a rhwbath arall.'

'Be' felly?'

Edrychodd arni â'i lygaid yn culhau'n ddireidus.

'Cachu gwylanod.'

Ac yna roedd y ddau ohonyn nhw'n chwerthin, yn gweiddi chwerthin nes bod dagrau yn eu llygaid. Pan chwarddai Lisi roedd y crygni yn ei llais yn gryfach nag arfer, yn clecian yn ddoniol yng nghefn ei gwddf. Wrth wrando arni roedd arno fwy o eisiau chwerthin.

'Anti Lisi, wyddoch chi be'?' Roedd ei stumog yn brifo'n braf.

'Be', 'ngwas i?'

'Dach chi'n swnio'n debyg i dderyn!'

Sychodd hithau'i llygaid â godre'i barclod blodeuog. 'Deryn? Pa fath o dderyn, neno'r Tad?'

'Wn i ddim!'

'Nid gwylan, gobeithio!'

'Naci siŵr! Un hefo llais cryg! Un mawr, ffeind.'

Gafaelodd hi amdano wedyn, yn dynn, dynn, ac roedd aroglau cartrefol arni, aroglau blawd a phowdwr golchi.

'Amser panad,' meddai o'r diwedd a thynnu'i braich yn drwsgl oddi amdano. 'Rhed rwan i nôl y bwcad a thyrd â hi hefo chdi i'r tŷ.'

Er ei bod hi'n ddechrau haf roedd yna dân du'n mygu'n isel yng nghefn y grât. Ddywedodd yr un o'r ddau air tra oedd

Lisi'n prysuro hefo'r cwpanau a'r tún te, ac yn estyn darnau o deisen siwgwr a'u rhoi ar blât o'i flaen.

'Dwi ddim yn nabod neb arall hefo lle tân yn y gegin, Anti Lisi. Dim ond y chi.'

'Nag wyt, ma' siŵr. Does yna fawr o dynfa ynddo fo heddiw, chwaith,' meddai hithau, a phenliniodd yn llafurus i roi pwniad i'r tân du. Roedd ei gwallt yn denau, yn bluog wyn. Gallai weld croen ei chorun trwy'r cudynnau, yn binc fel bysedd babi. Toc rhoddodd y procer i lawr ac eistedd ar y stôl o flaen yr aelwyd fechan.

'Arhosan ni am funud,' meddai, 'i'r te gael cyfle i sefyll. Rwan ta, dos i'r drôr ucha' yn y dresal ac estyn y pwrs bach du i mi, wnei di?'

Ufuddhaodd yntau. Roedd y lledr yn rhychiog ac yn feddal, fel wyneb Anti Lisi.

'Mi fydd Ŵan yma yn y munud, yn nôl ei bres glo,' meddai. Rhoddodd bwniad arall i'r tân er mwyn gwneud lle i lyngyren fach o fflam wthio'i ffordd rhwng y cnapiau duon cyn cymryd y pwrs ganddo. Gwyliodd hi'n cyfri'r arian a'i osod ar ganol y bwrdd yn barod.

'Ac i ti ma' hwn,' meddai, a gwasgu papur pumpunt i gledr ei law.

'Ond Anti Lisi . . .' protestiodd yntau, yn falch ac yn euog ar yr un pryd. 'Anti Lisi, mae o'n . . .'

'Cyflog i ti,' meddai, ar ei draws, 'am weithio mor galad bore 'ma.'

'Dim ond llnau'r ffenestri wnes i,' atebodd, ond daliai'r arian yn dynn yn ei law.

'Ac mi gest ti hwyl dda ar eu llnau nhw hefyd. Rho'r pres 'na o'r golwg yn dy boced rwan. Mi dalith am y trip 'na i Bytlins, debyg gin i.'

Tywalltodd y te, a disgwyliodd yntau iddi roi'r tebot i lawr er mwyn cael rhoi'i freichiau am ei chanol a chlywed arogl y powdwr golchi ar ei dillad unwaith eto. Erbyn i'r ddau eistedd wrth y bwrdd roedd y tân wedi gafael, ac roedd yr haul yn llifo drwy'r ffenest lân fel pe na bai gwydr ynddi o gwbl.

'Rôn i'n rhyw feddwl,' meddai Lisi, yn estyn eto am y tebot, 'gan ei bod hi wedi codi mor braf, y basan ni'n rhoi cynnig ar dwtio'r ardd gefn pnawn 'ma. Be' wyt ti'n 'i ddeud, 'rhen hogyn?'

Gwenodd yntau ac amneidio'i ben. Fedrai o ddim ateb; roedd ei geg yn llawn o deisen siwgwr, teisen siwgwr wedi'i gwneud hefo menyn crwn a honno'n toddi'n gyflym ar ei dafod, yn hallt ac yn felys ar yr un pryd.

Glas ydi'r nefoedd

Ysbyty Clatterbridge
Lerpwl
Bore Llun, yr ugeinfed

Annwyl Elis,

Gobeithio byddi di'n deall pethau'n well wedi i ti ddarllen hyn o lythyr. Rydw i'n mynd i drio egluro, er na fûm i erioed yn fawr o giamstar ar sgrifennu llythyrau o unrhyw fath.

Rydw i'n edrych ar fy wats ar y cwpwrdd yn ymyl y gwely (mae hi mor fawr i mi rwan nes ei bod hi'n troi ar fy ngarddwrn, a does fawr o ddiben i mi ei gwisgo hi â'i hwyneb at i lawr!) ac mae hi'n un ar ddeg, newydd droi. Tuag un ar ddeg y bore oedd hi pan fu farw Mam. Roedd y gwely y gorweddai arno'n edrych yn fawr. Bob hyn a hyn mentrodd chwa o awel ysgafn oglais godre'r llenni. Doedd o'n ddim ond cyffyrddiad, digon i ddangos fod rhywun wedi agor cil y ffenest y mymryn lleiaf. Heblaw am hynny doedd yna ddim byd yn symud yn yr ystafell; roedd y cyfan yn llonydd fel llun. Dim sioc, dim sŵn. Dim byd. A fyddai yna neb yn dweud: 'Bobol Mawr! Sydyn, te?' fel bydd pobl. O achos nad oedd o ddim yn sydyn. Roedd o'n hwyr, mor ddigywilydd o hwyr fel bod pawb yn y tŷ wedi blino disgwyl amdano. Ond gwyddom y byddai'n rhaid iddo gyrraedd rhyw dro, ac mi wnaeth, fel siaradwr gwadd wedi colli'i ffordd ar noson ei gyhoeddiad, a'r jamborî i gyd eisoes wedi mynd braidd yn fflat.

Roedd hi'n ddiwedd Mai. Brwydrai'r haul yn ddyfal yn erbyn y cyrtans blodeuog. Roeddwn i'n teimlo fel eu rhwygo ar wahân er mwyn cael golchi'r ystafell mewn goleuni. Ystafell las oedd hi. Glas golau fel plisgyn ŵy. Ei lliw hi.

'Ti'n gwbod gymaint dwi wedi lecio glas erioed,' meddai hi. Roedd hynny ddau ddiwrnod ynghynt. A doedd dim haul, dim ond hen ddiwrnod trymaidd, mwll. Diwrnod heb las ynddo o gwbl. 'Mi fyddat mor ddel bob amsar mewn glas. Ti'n cofio'r ffrog fach honno fu gen ti'n mynd i'r ysgol Sul ers talwm?'

Glas a gwyn a choler llongwr arni, a ruban yn fy ngwallt. Pawb yn dweud fy mod i'n ddigon o sioe, ac er i mi anghofio fy adnod mi ges i chwe cheiniog gwyn gan Mrs Huws Gweinidog 'run fath yn union. Y gorau'n anghofio'i eiriau weithiau meddai hi, hyd yn oed Mr Huws y gweinidog ei hun. Oeddwn, roeddwn i'n cofio'r ffrog.

'Wyt, siŵr, rwyt ti'n cofio. Ma' na lun ohonot ti yn rhywle . . .'

Caeodd ei llygaid. Bob tro y gwnâi hi hynny roeddwn i'n peidio anadlu nes gwelwn ei mynwes yn codi ac yn disgyn. Bryd hynny edrychwn yn fanwl arni, ar y gwefusau di-liw yn un â gwelwder ei hwyneb. Wyneb bach oedd ganddi rwan, bychan bach, fel cwpan de. Roedd llinellau arno, fel pe bai rhywun wedi eu rhoi yno gyda phensil blwm. Dechreuodd furmur yn isel wrthi'i hun, fel

111

pe bai'n siarad yn ei chwsg, heblaw nad cwsg mohono. Pan fwydrai fel hyn roedd y boen yn teneuo'r memrwn brau o groen ar ei gruddiau, croen yn melynu'n ysgafn fel tudalennau hen Feibl.

'Cofia adael pres i'r dyn glo . . . Na, na, doctor, peidiwch . . . Mae o'n brifo . . . brifo . . . Ti 'di hel dillad, Non? Mae hi'n edrach fel tasai hi'n hel glaw . . . 'Ein Tad, yr Hwn wyt yn y nefoedd . . . yn y nefoedd . . .' Agorodd ei llygaid yn sydyn, ac edrych arnaf i. Roedd hi'n ymestyn ei cheg yn araf, yn trio ffurfio gwên. 'Glas ydi'r nefoedd, 'sti, Non.'

'Be'?'

'Y nefoedd, te? Glas ydi o, medda fi.'

'Sut gwyddoch chi?'

'Sut gwn i be'?'

'Sut gwyddoch chi fod y nefoedd yn las?'

Cyffrôdd ei hamrannau ac arafu wedyn, fel glöynnod llesg. 'Ges i gip arno fo neithiwr, yli. Glas ydi o i gyd, glas golau fel ŵy dridan. Felly paid ti â phoeni amdana' i . . . dwi wedi lecio glas erioed . . .'

Roeddwn i'n falch pan gaeodd ei llygaid drachefn am na wyddwn i ddim sut i'w hateb. Roedd hi'n ffyddiog, yn credu, a'r drwg yn bwyta'i ffordd drwyddi a fedrai hi wneud dim byd ond disgwyl wrtho, fel afal wedi cleisio. Dyna'r peth olaf a ddywedodd hi wrthyf fi. Peidiodd â bod yn Mam o'r munud hwnnw, a diolchais. Byddai'n haws disgwyl iddi farw wedyn, am nad y hi oedd hi. Diferai'r dyddiau drwy fysedd y cloc, a'r morffin a'r distawrwydd yn arafu'r oriau; wyth awr a deugain a thipyn dros ben, a phawb yn meddwl pa mor fychan fyddai'r arch yn y diwedd, ond neb yn meiddio dweud dim byd.

'Gwasanaeth neis,' meddan nhw i gyd, yn sefyllian fel brain ar gowt y capel. A'r gweinidog ei hun, y Pen Brân, yn sbesial yn ei goler wen — a'r sychdwr ar ei wynt o'n arwydd ei fod o'n barod am banad ers meitin — yn gafael yn fy mraich i gyda'i fysedd cynnes ac yn dweud: 'Nid ein lle ni ydi trio dallt y Drefn, Non bach. Mae hi'n well 'i lle rwan!'

113

Gwell ei lle? Sut gwyddai o? Fuo fo erioed yno. Ac roedd y brain eraill yn heidio'n nes, ac aroglau dydd Sul yn disgyn oddi arnyn nhw wrth iddynt ysgwyd eu plu. Oedden, roedden nhw'n dod yn ôl i'r tŷ ac yn mynd i wenu ar ei gilydd uwchben y bara brith a'r brechdanau ham am fod popeth yn iawn rwan. Roedd y dioddef drosodd a Mam druan yn well ei lle, ac oedd yna rywun arall eisiau 'chwaneg o ddŵr poeth am ben ei de? Ble fyddai'n well ganddyn nhw fod tybed pan oedd y pridd ffres yn dechrau tampio o dan y blodau, a'r onnen wrth giât Tŷ Capel yn gwisgo'r nos am ei brigau fel maneg ddu? Beth amdanoch chi, Anti Nanni, hefo'ch breichled tsaen wats a'ch trwyn blodiog, pinc? Taech chi ddim i nunlla heb ych pot powdwr. A chitha, Yncl Tomi, mi fasach chi'n mynd i rwla o'i sŵn hi pe caech chi hannar cyfla, does dim dwywaith. Ma' golwg digon llwydaidd arnoch chitha heddiw, hefyd, erbyn meddwl. Ond llwydaidd fasa unrhyw un, o ran hynny, ar ôl byw hefo Nanni ers bron i ddeugain mlynadd. Ia, 'na chi, 'stynnwch at y fechdan samon ddwytha 'na reit sydyn tra 'di hi ddim yn sbio arnach chi! A Dad! Beth amdanat ti heddiw, Dad? Ti'n edrach yn ddiarth yn dy dei du, yn dal dy soser hefo dwy law ac yn chwilio am rwbath yng ngwaelod y gwpan. Ond chei di ddim atab yn fanno chwaith, dim ond clwstwr gwlyb o ddail te a gwbod na ddaw hi ddim byth eto i droi dy gwpan di â'i phen i lawr a chogio deud dy ffortiwn di a gaddo pob math o betha clên a'i llais hi'n anwesu ac yn tincial fel dŵr ffrwd . . .

Diwrnod y cynhebrwng oedd y diwrnod poethaf o'r mis. Chawson ni fawr o dywydd braf am sbel wedyn, dim ond ribidirês o ddyddiau dyfrllyd yn rhedeg i'w gilydd un ar ôl y llall, a rhyw hen gyrbibion blêr o gymylau'n stremp ar hyd yr awyr. Roedd hi'n well felly, a dim haul i frolio'i hun i ni. Rhyw eli llwyd o ddyddiau oedden nhw, yn lapio'u hunain amdanon ni nes daeth yr haf. Ac roedd y pys pêr wedi dechrau dringo'n dalog o dan ffenest y gegin eto, a 'Nhad yn cau'i ddwylo nes bod y croen yn tynnu'n wyn ar draws ei figyrnau am fod aroglau'r blodau'n dod ag ers talwm yn ôl.

Rydw i'n dechrau blino rwan, Elis. Neu deimlo'n chwil. Mi orwedda' i yn y munud, i roi cyfle i'r tabledi. A does gen i ddim cymaint o ofn bellach. Fydd hi'n ddim ond fel mynd i drwmgwsg, na fydd? Ofn. Gair bach ydi o ond mae o'n gwneud hwyl rhyfeddol am ben rhywun! Ers talwm roeddwn i'n ei gysylltu â straeon arswyd, ogofâu llaith, pryfed cop a synau ganol nos. Ond doedd yna'r un o'r pethau hynny yn stafell y consyltant hwnnw wythnosau'n ôl. Rydw i'n cofio'r top lledr ar ei ddesg o a charped ar ei lawr o'n dew fel mwsog. Roedd ei lygaid o'n nofio'n ffeind yn ei ben o a doedd arna' i ddim o'i ofn o; roedd gen i bechod drosto fo am ei bod hi'n galed arno yntau hefyd, ac roedd yna blanhigyn gwyrdd, gwyrdd mewn pot ar sil y ffenest a'r dail yn geiniogog, iach yn tyfu at i lawr. Nid ei ofn o oedd arna' i, ond ofn yr hyn a ddywedai oherwydd na fyddai o ddim yn gwneud camgymeriad ar beth fel hyn. Fe wyddai.

Roedd o'n deall ei faes. A dyna oedd yn codi'r ofn, am fod ei allu o mor amlwg yn nhoriad ei siwt o ac ym meddalwch ei esgidiau.

Mae pawb yn glên hefo fi yma, yn fy annog yn fy mlaen. Chwarae teg iddyn nhw. Maen nhw bron iawn â gwneud i mi deimlo'n euog ynglŷn â'r hyn rwyf wedi'i wneud. Ond actio'n rhannau ydan ni i gyd. Neithiwr roedd hi'n noson dawel, a sêr bach pennau pin yn sbrencs yn erbyn y düwch, düwch mawr, melfed a minnau eisiau disgyn iddo fo. Heddiw mae yna las yn lle'r du. Glas golau ŵy drudwen ydi o. Am wn i na ches i gip ar hwnnw neithiwr hefyd, ond dydw i ddim yn cofio pryd.

Mae gweld y cyfan o fy mlaen ar bapur fel hyn yn fy helpu i weld pethau'n gliriach. Tria ditha weld hynny hefyd, a 'mod i am unwaith wedi gwneud y penderfyniad iawn. Fydd dim rhaid i ti gofio amdana' i rwan fel corffyn gwyn dan gynfas a fy esgyrn i wedi tyfu trwy fy wyneb i, na fydd? Cachgi ydw i, ti'n gweld.

117

Wneith o ddim brifo fel hyn. Cofia hynny, wnei di, y tro nesaf y cei di noson hefo lleuad? Sbia ar y sêr yn pigo'n fân. Sbia i fyny arnyn nhw'n iawn fel pe baet ti'n edrych am y tro cyntaf. Maen nhw'n werth eu gweld.

NON

NEATH PORT TALBOT LIBRARY
AND INFORMATION SERVICES

1		25		49		73	
2		26		50		74	
3		27		51		75	
4		28		52		76	
5		29		53		77	
6		30		54		78	
7		31		55		79	
8		32		56		80	
9		33		57		81	
10		34		58		82	
11		35		59		83	
12		36		60		84	
13		37		61		85	
14		38		62		86	
15		39		63		87	
16		40		64		88	
17		41		65		89	
18		42		66		90	
19		43		67		91	
20		44		68		92	
21		45		69		COMMUNITY SERVICES	
22		46		70			
23		47		71		NPT/111	
24		48		72			